DOM OSCAR ROMERO
MÁRTIR DA LIBERTAÇÃO

Reitor
Pe. Josafá Carlos de Siqueira, S.J.

Vice-Reitor
Pe. Francisco Ivern Simó, S.J.

Vice-Reitor para Assuntos Acadêmicos
Prof. José Ricardo Bergmann

Vice-Reitor para Assuntos Administrativos
Prof. Luiz Carlos Scavarda do Carmo

Vice-Reitor para Assuntos Comunitários
Prof. Augusto Luiz Duarte Lopes Sampaio

Vice-Reitor para Assuntos de Desenvolvimento
Prof. Sergio Bruni

Decanos
Prof. Paulo Fernando Carneiro de Andrade (CTCH)
Prof. Luiz Roberto A. Cunha (CCS)
Prof. Reinaldo Calixto de Campos (CTC)
Prof. Hilton Augusto Koch (CCBM)

DOM OSCAR ROMERO

MÁRTIR DA LIBERTAÇÃO

Maria Clara Bingemer (Org.)

© Editora PUC-Rio
Rua Marquês de S. Vicente, 255
Projeto Comunicar, casa Editora – Gávea
Rio de Janeiro, RJ – CEP 22453-900
T/F 55 21 3527 1760 / 55 21 3527 1838
edpucrio@puc-rio.br
www.puc-rio.br/editorapucrio

Conselho Editorial PUC-Rio: Augusto Sampaio, Cesar Romero Jacob, Fernando Sá, José
Ricardo Bergmann, Luiz Roberto Cunha, Miguel Pereira, Paulo Fernando Carneiro de
Andrade e Reinaldo Calixto de Campos

© Editora Santuário
Rua Pe. Claro Monteiro, 342
Aparecida, SP – CEP 12570-000
T 55 12 3104 2000
F 55 12 3104 2036
vendas@editorasantuario.com.br
www.editorasantuario.com.br

Diretor Editorial: Marcelo C. Araújo
Editor: Avelino Grassi
Coordenação Editorial: Ana Lúcia de Castro Leite

Tradução: Ebréia de Castro
Revisão de originais: Débora de Castro Barros
Revisão de provas: Tereza da Rocha
Projeto gráfico de capa e miolo: Flávia da Matta Design

*Todos os direitos reservados. Nenhuma parte desta obra pode ser reproduzida ou transmitida por
qualquer forma e/ou quaisquer meios (eletrônico ou mecânico, incluindo fotocópia e gravação) ou
arquivada em qualquer sistema ou banco de dados sem permissão escrita das editoras.*

Dom Oscar Romero: mártir da libertação / Maria Clara Bingemer (org.). – Rio de Janeiro:
Ed. PUC-Rio ; Ed. Santuário, 2012.

180 p. ; 21 cm

ISBN (PUC-Rio): 978-85-8006-053-9
ISBN (Santuário): 978-85-369-0266-1

Inclui bibliografia
1. Romero, Oscar A. (Oscar Arnulfo), 1917-1980. 2. Igreja e problema sociais - El
Salvador - Igreja Católica. 3. Igreja Católica - Salvador – Bispos – Biografia. I. Bingemer,
Maria Clara.

CDD: 922.2

Sumário

7
Prefácio

11
Aos 30 anos do martírio de São Romero
Pedro Casaldáliga

15
A Igreja que nasce da Páscoa.
O seguimento de Jesus e a opção pelos pobres
Xavier Alegre

43
Perto do pobre, *perto* de Deus
Gustavo Gutiérrez

57
A fé: outro olhar para ler a história.
Monsenhor Romero: uma chave de leitura testemunhal
Maria Clara Bingemer

83
Fé e política. Problema de método teológico
José Comblin

97
O coração do Evangelho à margem do mundo.
A espiritualidade do martírio por outro mundo possível
Luiz Carlos Susin

109
Monsenhor Romero: conversão e esperança.
"Outra Igreja é necessária. Outra Igreja é possível."
Jon Sobrino

147
Ministério Episcopal: serviço aos mais pobres
Álvaro Ramazzini Imeri

Prefácio

Dom Oscar Romero é testemunha de que a injustiça que atravessa este mundo não tem a última palavra, que o verdugo não triunfa sobre a vítima inocente. Com Dom Oscar Romero, não se trata apenas de uma esperança ou de um desejo de justiça – como expressava Max Horkheimer, o pensador judeu saído da Segunda Guerra, em *Teoria crítica e religião* – trata-se de uma realidade e de uma verdade. Passadas algumas décadas dos trágicos acontecimentos de repressão, violência, tortura e muitas mortes que envolveram por ondas, de sul a norte, a América Latina, e precisamente há 31 anos daquele dia em que Dom Oscar foi abatido em meio à celebração eucarística, o que temos é a sua palavra viva, a sua inspiração poderosa, junto à eloquência dos gestos, das palavras e da inspiração de muitos homens e mulheres também mártires em terras latino-americanas.

Em março de 2010, a Presidência da República de El Salvador organizou, em frente à catedral, as celebrações populares em memória de Dom Oscar. Em março de 2011, o presidente dos Estados Unidos, em sua primeira viagem à América Latina, fez uma visita de 24 horas a El Salvador e foi em silêncio à cripta onde estão sepultados os restos mortais de Dom Oscar, o pastor, o profeta, o mártir que o próprio império americano ajudou a esmagar. Os verdugos estão em silêncio, não têm palavra nem inspiração. Pelo contrário, sua única esperança é que sejam resgatados e inspirados pela piedade da sua vítima. Naquele ano de 1980, nem bem dois meses após o assassinato de Dom Oscar, o próprio Papa sofreu um atentado quase mortal. Em meio às perturbações eclesiásticas, dentro e fora de El Salvador, pelo gesto profético e pelo significado martirial da morte de Dom Oscar, o Papa veio se ajoelhar diante dos restos mortais do arcebispo que sofreu a dúvida, a reprovação e o isolamento em meio aos seus irmãos no episcopado. E se o profetismo vivo de Dom Oscar continua incomodando as medidas canônicas para reconhecimento de sua santidade na Igreja Católica, a Igreja Anglicana já o canonizou, erigindo-lhe uma estátua entre Martin Luther King e Dietrich Bonhoeffer na Abadia de Westminster.

No entanto, todo esse reconhecimento oficial é apenas simbólico, ainda que altamente simbólico. O povo de El Salvador, os que sofreram e encontraram em Dom Oscar a compaixão e a defesa, ou seus filhos, que escutam os pais e os professores contarem, continuam aprendendo de suas palavras de mestre e de pastor. Suas palavras estão gravadas e transcritas em livros e em multimídia, estão em cantos e poemas, em tabuletas entre flores colocadas pelo povo junto aos seus restos mortais: ele continua eloquente, sua palavra continua viva e inspiradora. Isso é mais do que simbólico, é uma realidade viva e vivificante, o suave e piedoso triunfo da vítima que resgata na sua justiça inclusive os seus algozes.

Os autores e os seus textos que aqui se apresentam também estão colocados sob essa inspiração viva e, portanto, vivificante. Dom Oscar dá o que pensar, inspira o pensamento. Seus sermões, disponíveis em edição crítica e em CD-Rom, como também a memória de sua biografia, são uma lição de humanidade e de esperança para os que devem continuar o caminho que ele escolheu, o do Evangelho e da imitação de Jesus até o fim. Ele não podia prever e ninguém pode prever exatamente o fim quando se escolhe dar a vida pelos irmãos. Há etapas nesse caminho, que se transformam em missão, em pastoral, em ensinamento, em profecias. Refletindo a partir desse caminho percorrido com grande intensidade por Dom Oscar, aqui estão textos de caráter intelectual, que querem se aprofundar no ensinamento evangélico, textos de caráter pastoral, que querem prolongar a prática e o compromisso cristão, textos de caráter testemunhal, que querem confirmar a fé e a esperança, e textos de caráter celebrativo, que saboreiam a boa notícia: em Dom Oscar Romero, como se disse muitas vezes em El Salvador, Deus passou em meio ao seu povo, Deus se lembrou dos sofrimentos, consolou e tomou para si as dores do povo, mantendo sua esperança e sua alegria.

Por ordem, os textos seguem-se em três passos: o primeiro é a centralidade dos pobres no Evangelho de Jesus e na vocação da Igreja; o segundo é a espessura histórica da fé, a necessidade de viver a fé em meio aos conflitos e esperanças deste mundo; o terceiro é a realidade mais radical do martírio e a espiritualidade pascal, que transforma a derrota em uma vitória paradoxal: uma vitória sem vencidos, capaz de resgatar para a humanidade da vítima também a monstruosidade do seu algoz. Cada autor procura levar adiante, com seu carisma, o que aprendeu no caminho cristão trilhado por Dom Oscar.

Entre os autores está José Comblin, cujo coração deixou de bater no dia 27 de março de 2011. Escrevendo sobre fé e política, na difícil relação entre fé e instituição, fé e religião, fé e estruturas eclesiásticas, Comblin, mais uma vez, com ironia joanina e com a calma e o sorriso que lhe foram característicos, conduz o leitor como o bom mestre conduz o discípulo ao dilema que sacode a consciência e obriga a uma escolha. Comblin, de origem belga, testemunha a imensa liberdade evangélica que ele viveu desde que decidiu partir em missão, cumprindo em sua vida o que o autor da carta a Diogneto diz da novidade na vida dos cristãos: não tendo uma pátria como sua, em todo lugar se sentem como em sua pátria. Comblin ajudou de longa data os bispos latino-americanos, desde a assembleia de Medellín e de Puebla, nos tempos de grande virada na missão pastoral de Dom Oscar. Daí a afinidade e a fraternidade entre os dois, que agora ganham a transcendência do Reino de Deus. Na celebração de 30 anos, em março de 2010, Comblin percorreu os lugares santos de São Salvador – o *hospitalito* em que Dom Oscar morou e em cuja capela foi morto, a cripta da catedral em que está sepultado, o altar a partir do qual pregou suas homilias, e depois o Centro Dom Oscar Romero, na Universidade Centroamericana, em que se conserva a memória de Dom Oscar e dos mártires que o precederam e o seguiram, o jardim em que foram metralhados os jesuítas da Universidade e a capela em que estão seus restos mortais. Comblin percorreu com reverência e meditação, sabendo da profundidade e da solidez que tais testemunhas significam na história do Evangelho. Temos a honra de contar com um dos últimos escritos de Comblin, um esforço intelectual em comunhão com os eventos salvíficos de El Salvador, aqui postumamente publicado com gratidão e reverência àquele cujos restos agora repousam no interior da Paraíba, junto do padre Ibiapina, um santo do povo.

O que desejam os autores é mostrar quanto, nesses últimos anos, a América Latina, no testemunho eloquente de Dom Oscar Romero, está coroada por mestres, pastores e mártires, verdadeiros Pais da Igreja, dando forma a uma fisionomia eclesial verdadeiramente evangélica, com a liberdade evangélica provada na liberdade de amar até o fim, de dar a vida. A honra dos autores, nesse sentido, é a da taça: ainda que frágil, sua honra é servir o precioso conteúdo.

Luiz Carlos Susin

Aos 30 anos do martírio de São Romero

Pedro Casaldáliga*

Celebrar um jubileu de nosso São Romero da América é celebrar um testemunho de profecia que nos contagia. É assumir um compromisso com as causas pelas quais São Romero se tornou um mártir. Um testemunho relevante é seguir o Testemunho mais importante, o Testemunho fiel, o de Jesus. O sangue dos mártires é o cálice do qual todos nós podemos e devemos beber. Sempre, e sob quaisquer circunstâncias, a lembrança do martírio é subversiva.

Trinta anos se passaram desde a Eucaristia plena na capela do hospitalito.[1] Naquele dia, nosso santo nos escreveu: "Acreditamos na vitória da ressurreição." Muitas vezes digo, profetizando novos tempos, que "se me matarem, ressuscitarei no povo salvadorenho". E, mesmo com todas as ambiguidades da história em andamento, nosso São Romero está ressuscitando em El Salvador, na nossa América e no mundo.

Esse jubileu deve renovar em todos nós uma esperança lúcida e crítica, porém invencível. "Tudo é graça", tudo é Páscoa, se penetramos, correndo todos os riscos, no mistério da ceia compartilhada, da cruz e da ressurreição.

---

* Bispo católico espanhol radicado no Brasil. (N.T.)
[1] Nome carinhoso como era conhecido o Hospital da Divina Providência pelos salvadorenhos. Foi na capela do hospital que São Romero rezou missa para os peregrinos e lá foi também martirizado. (N.T.)

São Romero nos ensina e nos "cobra" que vivamos uma espiritualidade integral, uma santidade ao mesmo tempo mística e política – na vida diária e nos aspectos principais da justiça e da paz, "com os pobres da Terra", na família, na rua, no trabalho com o movimento popular e na pastoral encarnada. Ele nos espera na luta diária contra essa espécie de quadrilha monstruosa que é o capitalismo neoliberal, contra o mercado abrangente, contra o consumismo desenfreado. A Campanha da Fraternidade do Brasil, ecumênica este ano, recorda-nos as palavras contundentes de Jesus: "Não se pode servir a dois senhores: a Deus e ao dinheiro."

Respondendo àqueles que, na sociedade e na Igreja, tentam desmoralizar a Teologia da Libertação, o caminhar dos pobres na comunidade, essa nova maneira de ser da Igreja, nosso pastor e mestre replicava: "Existe um 'ateísmo' mais próximo e mais perigoso para nossa Igreja: o ateísmo do capitalismo, quando os bens materiais se transformam em ídolos e substituem Deus."

Fiéis aos sinais dos tempos, como Romero, atualizando os rostos dos pobres e as urgências sociais e pastorais, devemos ressaltar nesse júbilo as causas principais, e algumas delas constituem verdadeiros paradigmas: o ecumenismo e o macroecumenismo, no diálogo religioso e na comunhão universal; os direitos dos emigrantes contra as leis de segregação; a solidariedade e a solidariedade entre os povos; a importante causa ecológica. (A propósito, nossa Agenda Latino-americana deste ano é dedicada aos problemas ecológicos, com um título desafiador: "Salvemo-nos com o Planeta".); a integração da nossa América; as campanhas pela paz eficaz, denunciando o crescente militarismo e a proliferação de armas. Sempre requerendo transformações eclesiásticas, com os leigos exercendo o papel principal, conforme solicitou São Domingos, e a igualdade da mulher nos ministérios da Igreja. O desafio da violência cotidiana, principalmente na juventude, manipulada pelos meios de comunicação alienadores e pela epidemia mundial das drogas.

Sempre e cada vez mais, quanto maiores forem os desafios, viveremos a opção pelos pobres, a esperança "contra toda a esperança", seguindo Jesus internamente no Seu Reino. Nossa coerência será a melhor canonização de "São Romero da América, Pastor e Mártir".

A Igreja que nasce da Páscoa.
O seguimento de Jesus e a opção pelos pobres

Xavier Alegre*

1. Introdução

Quero começar recordando umas palavras que disse monsenhor Romero em sua última homilia, comentando o Evangelho de João que ele havia acabado de ler:

> Ele nos adverte que de nada adiantará ao homem conquistar o mundo se perder sua alma. Não obstante, a espera de uma nova terra não deve enfraquecer, mas sim estimular, a preocupação de aperfeiçoar esta terra, onde cresce o corpo de nova família humana, que pode, de alguma forma, prenunciar o novo século para esta terra. Por isso, deve-se distinguir cuidadosamente entre o progresso temporal e o crescimento do Reino de Cristo; no entanto, o progresso temporal pode contribuir para a melhor organização da sociedade humana, o que é de grande interesse para o Reino de Deus.[1]

Essas palavras mostram a perfeita harmonia que ligava monsenhor Romero a Jesus e às Igrejas que nasceram da Páscoa. E essa

---

* Integrante do Centro de Reflexão Teológica, São Salvador, e professor da Faculdade de Teologia da Catalunha, Barcelona.
[1] *Homilias Monseñor Oscar A. Romero*. São Salvador, 2009, v. VI, p. 136.

sintonia me parece importante porque essas Igrejas são, graças ao testemunho que nos ficaram delas nos Evangelhos, o ponto de referência fundamental, o critério de discernimento evangélico, para toda a Igreja cristã. E se algo aparece claramente nelas é que são Igrejas que tomam consciência de que devem estar, como esteve Jesus, ao serviço do Reino de Deus (cf. Lc 8, 1).

De fato, os Evangelhos nos ensinam, sem a menor dúvida, que o Reino de Deus, da maneira que pregou Jesus, deve ser a tarefa essencial de toda Igreja que esteja ciente de que deve ser fiel a Cristo (cf. Mt 4, 17; 10, 7).

Nos Evangelhos, o Reino de Deus, que é sempre maior por ser de Deus e superar qualquer realidade humana, é, ao mesmo tempo, um dom gratuito de Deus e uma tarefa.

Por um lado, é um *dom* que é preciso pedir (cf. Mt 6, 10) humildemente, consciente de que, em um mundo marcado profundamente pela injustiça pessoal e estrutural, conseguir que Deus reine é algo que supera as forças meramente humanas e requer, portanto, a conversão. Apenas Deus, para quem tudo é possível (cf. Mc 10, 27), pode fazer com que o Reino de Deus seja uma realidade plena em um mundo dominado pela injustiça e no qual as imensas maiorias empobrecidas são as grandes vítimas da história. Por isso, porque o Reino é, antes de tudo, um dom de Deus, monsenhor Romero, seguindo Jesus (cf. Lc 5, 16; 6, 12; 1-4), passou longas horas orando, absorvendo Deus e buscando forças para pregar o Reino.

Entretanto, por outro lado, o Reino é também uma *tarefa* que é preciso realizar. No final, foi isso que Jesus fez, convencido de que deveria haver sinais neste mundo de que Deus está reinando dinamicamente. Os milagres (cf. Lc 11, 20) e o fato de que suas atividades eram uma boa-nova para os pobres (cf. Mt 11, 2-6) são um testemunho disso. Pois o Reino de Deus, que "não é deste mundo" (cf. Jn 18, 36), isto é, não partilha a lógica deste mundo injusto, mesmo assim está neste mundo.[2] E todo aquele que é da verdade escuta a voz de Jesus e se deixa representar pela Verdade (cf. Jn 18, 37), que é o próprio Jesus (cf. Jn 10, 6).

Monsenhor Romero entendeu muito bem este aspecto duplo: ele soube unir a dimensão transcendente do Reino com a inerente. Quando disse em sua última homilia que era preciso "distinguir cuidadosamente entre o progresso temporal e o do crescimento do Reino de Cristo", aludiu à dimensão transcendente do Reino, mas quando acrescentou que "o progresso temporal pode contribuir para ordenar melhor a sociedade humana, e é de grande interesse para o Reino de Deus", recordou o aspecto relevante do Reino de Deus, da maneira pela qual Jesus o pregou e encarnou. Por isso monsenhor Romero soube, como Jesus, estabelecer sinais palpáveis para os pobres e excluídos deste mundo de que o Reino de Deus já estava se fazendo presente prioritariamente para eles, embora ainda não fosse uma realidade plena e definitiva.

É positivo, portanto, que comecemos este congresso, no qual recordamos com carinho o testemunho do martírio de monsenhor Romero, lembrando como foi a Igreja que nasceu da Páscoa, uma Igreja à qual monsenhor Romero quis ser – e foi – sempre fiel.

2. Como era a Igreja que nasceu da Páscoa

Fundamentalmente, era uma Igreja totalmente impactada pela figura de Jesus de Nazaré, por sua vida, morte e ressurreição. Por isso foi uma Igreja que se sentiu convocada, antes de tudo, a ter Jesus como exemplo e a optar pelos pobres, tal como havia feito o Mestre.

---

[2] Cf. X. Alegre, "*Mi reino no es de este mundo*" (Jn 18, 36). Conflito da existência cristã no mundo segundo o quarto Evangelho, *Estudios Eclesiásticos* 54 (1979), p. 499-525 (também em Id., *Memoria subversiva y esperanza para los pueblos crucificados*. Madri, 2003, p. 309-333).

Jesus deu Sua vida esperando, contra toda a *esperança* simplesmente humana, que Deus acabasse reinando no mundo, pois com Ele Deus já estava agindo decisivamente na Terra (cf. Mc 1, 15). E, ao mesmo tempo, Jesus o fez com a certeza de que, como consequência de seus atos, um dia Deus reinaria plenamente (cf. Mc 13, 24-27, 28-37). Paulo também entendeu dessa maneira, segundo Cor 15, 20-28. Então, o novo ciclo e a nova Terra seriam realidade, pois não haveria mais morte, nem luto, nem pranto, nem dor, porque tudo que era anterior a isso já haveria desaparecido (cf. Ap 21, 1-4).

Por isso a Igreja que nasceu da Páscoa foi uma Igreja que se distinguiu por três características: 1. recuperou a *memória* de Jesus, que havia dedicado toda a sua vida ao Reino de Deus; 2. divulgou a morte de Jesus na cruz, testemunho material do amor sem limites e natural do Filho; e 3. prestou um testemunho de que Jesus continuava vivo, porque Deus havia ressuscitado o Crucificado, dando razão à Vítima, em oposição a Seus algozes. Esses três aspectos foram também decisivos para a eclesiologia que monsenhor Romero viveu e incentivou.

3. Recuperar a memória de Jesus, que dedicou a vida ao Reino de Deus

A primeira coisa que fez a Igreja que nasceu da Páscoa foi proclamar a Ressurreição do Crucificado, como fundamento e garantia da salvação (cf. Rom 10, 9). É o núcleo do *kerigma* (apostolado) da primeira Igreja. O mesmo Paulo recorda que ele o havia recebido da tradição da Igreja que nascera da Páscoa (cf. 1 Cor 15, 1-5).

Entretanto, pelas tradições que estão expostas nos quatro Evangelhos, podemos saber que, graças a Paulo e aos demais discípulos e discípulas de Jesus, recuperaram-se também a palavra e a vida pública de Jesus, a partir do fato de que Jesus começou a agir por conta própria, segundo conta Marcos, o Evangelho mais antigo, quando viu que puseram na cadeia e assassinaram seu mestre João Batista (cf. Mc 1, 14-15).[3]

Apenas nessa ocasião, depois da experiência da Páscoa, a cruz e a ressurreição abriram os olhos da fé, possibilitando aos discípulos compreender em profundidade o que lhes havia custado entender na vida de Jesus (cf. Mc 8, 17-21, 31-33).

Foi o dom do Espírito Santo (cf. Atos 2) que os capacitou a entender, em primeiro lugar, a Escritura (cf. Lc 24, 45-49), isto é, compreender como o Antigo Testamento iluminava a dimensão mais profunda de Jesus em Sua relação com o Pai e com o mundo.

A recuperação da lembrança de Jesus foi decisiva, portanto, para a Igreja que nasceu da Páscoa. E continuou a sê-lo quando, à medida que morriam as primeiras testemunhas, se correu o perigo de tergiversar e manipular a mensagem de Jesus, como fizeram pouco mais tarde os Evangelhos Apócrifos.[4]

Por isso a recuperação dessa fidelidade da lembrança de Jesus foi a grande contribuição teológica do primeiro dos evangelistas até os anos 1970. Da mesma forma que nos mostra o Evangelho de Marcos, depois seguido por outros evangélicos, a recuperação da vida de Jesus é um critério fundamental de discernimento da fé cristã, pois não se podem compreender a morte e a ressurreição de Jesus sem considerar o que foi a sua vida.

Para a primeira Igreja (e para toda Igreja, em princípio!), não era fácil entender, muito menos personificar, na própria vida, o projeto que Jesus havia vivido. Ele fora um homem extraordinário. Sem seu apoio no dia a dia, era difícil para os discípulos viver o que haviam vivido com ele. Vê-lo morrer na cruz estimulou o desânimo, mas

---

[3] Também aqui podemos ver um paralelismo entre a vida de Jesus e a de monsenhor Romero, pois foi precisamente o assassinato do padre Rutilio Grande que provocou uma mudança extrema na atuação pastoral do arcebispo de São Salvador.

[4] Cf. X. Alegre, *El Evangelio de Judas. ?Un "quinto" evangelio auténtico?*. São Salvador, 2006.

os primeiros companheiros e companheiras de Jesus conseguiram, graças à experiência pascoal e à presença do Espírito Santo em meio à comunidade, encontrar a força de que necessitavam para dar continuidade ao projeto de Jesus, e se encheram de esperança.

4. O impacto da pessoa de Jesus

A pessoa de Jesus tocou o coração dos primeiros companheiros e companheiras. Sua entrega generosa a serviço dos enfermos, pobres e marginalizados (cf. Mt 8-9), Sua valentia ao denunciar a injustiça dos poderosos, causadora dos males que afligiam a maioria pobre (cf. Mc 10, 26; Mt 23, 1-12; Lc 13, 31-32), Sua palavra esclarecedora, plena de vida eterna (cf. Jn 6, 68; Mt 5, 3-10) foram aspectos que haviam marcado definitivamente Sua vida. Portanto, não foi por acaso que, segundo os Atos dos Apóstolos, Pedro assim resumiu a vida de Jesus, em um discurso programático: "Passou pelo mundo fazendo o bem, e curando todos os oprimidos pelo demônio" (Atos 10, 38). O demônio simboliza, nesse caso, todas as forças do mal que se opõem ao Reino de Deus e oprimem os seres humanos. Diante delas, a atuação de Jesus foi curativa e libertadora (cf. Mc 1, 21-28.32).

Por isso Lucas, o terceiro evangelista, não hesita ao resumir o projeto de Deus que Jesus de Nazaré veio para realizar neste mundo, ao mostrar que nele se cumpriram as promessas do Antigo Testamento (cf. Is 61, 1-2):

O Espírito do Senhor está sobre mim, pois que me ungiu para evangelizar os pobres; enviou-me para proclamar liberdade aos presos e restaurar a vista aos cegos, para libertar os oprimidos e proclamar o ano da graça do Senhor. (Lc 4, 18-19)

Trata-se, portanto, de um projeto liberador, em continuidade com o projeto de Deus revelado no Antigo Testamento, que tem os pobres como destinatários privilegiados. Pois, como muito bem expressou monsenhor Romero, "a glória de Deus é o pobre que vive". Por isso apenas se os pobres da Terra conseguirem viver humana e dignamente poderemos pensar que Deus reina na Terra.

Insisto nesse aspecto porque isso, que é fundamental para compreender bem o projeto de Deus, foi compreendido e vivido generosa e coerentemente por monsenhor Romero em sua atuação pastoral à frente da Igreja da arquidiocese de São Salvador.

De fato, Jesus foi um homem bom, que se doou generosamente às pessoas, revelando, assim, a face misericordiosa do Pai (cf. Lc 15, 11-32). Nunca marginalizou ninguém. Pelo contrário, dedicou a vida aos pobres e excluídos, a quem considerou objeto privilegiado do amor de Deus, pois tinham a vida mais ameaçada (cf. Mc 1, 40-45); reconciliava-os com Deus e com os demais (cf. Mc 2, 15-17; Lc 15, 1-2), convidava-os para segui-lo (cf. Mc 1, 14) e os amava (cf. Lc 15). Arrebatado como estava, porque Deus reinava no mundo, devotou a vida inteira ao projeto de libertação dos pobres e marginalizados social e religiosamente.

Tratava-se de um projeto que tinha suas raízes no Antigo Testamento; mas, precisamente porque seu projeto era o Reino de Deus, Jesus não apenas se destacou por sua bondade e generosidade, como também por sua disposição profética, que o levou (monsenhor Romero aprendeu isso com ele) a denunciar a injustiça dos poderosos, que denominou "pecado".[5]

---

[5] Iluminado por Jesus, disse monsenhor Romero no discurso que fez ao receber seu diploma de *honoris causa* que lhe deram em Lovaina: "Pecado é aquilo que matou o Filho de Deus, e pecado continua sendo aquilo que provoca a morte dos filhos de Deus. Essa verdade fundamental da fé cristã é por nós observada diariamente em situações no nosso país. Não se pode ofender a Deus sem ofender ao irmão. E a pior ofensa a Deus, o pior dos secularismos é, como disse um de nossos teólogos: 'transformar os filhos de Deus, os templos do Espírito Santo, o Corpo histórico de Cristo em vítimas da opressão e da injustiça, em escravos das vontades econômicas, em resíduos da repressão política'." Essa foi uma citação do padre Ellacuría, *ECA* 353, 1978, p. 123.

Por isso acusaram Jesus de se meter com política[6] e pôr em perigo o Império Romano (se isso fosse verdade, ele não teria morrido crucificado como um terrorista qualquer).

Entretanto, Jesus denunciou a injustiça precisamente para ser fiel à vontade de Deus, tal como lhe havia sido manifestada no Antigo Testamento. Recordemos João Batista, quando se quer opor a que Jesus seja batizado pelo Filho de Deus, que lhe disse: "Deixa por agora, pois assim nos convém cumprir o que Deus determinou" (Mt 3, 15; cf. 5, 17-20).

De todo modo, o comportamento de Jesus nos apresenta uma pergunta essencial: por que não apenas os milagres de Jesus, reflexo da misericórdia do Criador, mas também a denúncia de injustiça são parte fundamental da boa-nova de Jesus, do Evangelho, assim como muito bem compreendeu monsenhor Romero?

A resposta está na missão que Jesus recebeu de Deus. Ele veio, em nome de Deus, anunciar: "O prazo se cumpriu. O Reino de Deus está chegando. Convertam-se e creiam no Evangelho" (Mc 1, 15).

---

[6] Acusação da qual monsenhor Romero teve de se defender várias vezes. Recordemos o que disse quando lhe concederam o doutorado em Lovaina: "A dimensão política da fé nada mais é do que a resposta da Igreja às exigências do mundo real sociopolítico em que vive a Igreja. Redescobrimos que essas exigências são básicas para a fé, e que a Igreja não pode desatrelar-se delas. Não se trata de que a Igreja se considere uma instituição política que concorre com outras instâncias políticas, nem que possua mecanismos políticos próprios, nem muito menos que deseje uma liderança política. Trata-se de algo mais profundo e evangélico; trata-se da verdadeira opção pelos pobres, de representar o mundo deles, de anunciar-lhes uma boa-nova, de dar-lhes esperança, de animá-los com uma ação concreta, de defender sua causa e participar no seu destino. Essa opção da Igreja pelos pobres explica a dimensão política de sua fé em suas raízes e características mais fundamentais. Porque optou pelos pobres reais e não fictícios, porque optou igualmente pelos realmente oprimidos e reprimidos, a Igreja vive no mundo político e se realiza como Igreja também através dos aspectos políticos. Não pode ser de outra maneira se, como Jesus, ela se dirige aos pobres."

Entretanto, a que se referiu Jesus, sem explicá-lo mais concretamente, quando anunciou o Reino de Deus? O Antigo Testamento[7] nos dá a resposta.

5. O reinado de Deus no Antigo Testamento

Segundo o Antigo Testamento, Deus havia escolhido o povo de Israel para *reinar Nele* e, por meio Dele, *reinar em todos os povos* da Terra. Por isso somente Deus é o autêntico rei de Israel e, quando Israel quiser ter um rei, o próprio Deus ressalta que não seja Samuel, a quem o povo rejeita, mas o próprio Deus (cf. 1 Sam 8, 6-9).

Porém, o Deus que se revela no Antigo Testamento, e com o qual Jesus mantém estreita relação, até ser um só com Ele (cf. Jn 10, 30; 14, 9-11), é um Deus compassivo e misericordioso, que escuta o clamor dos pobres e dos oprimidos (Ex 3), que se identifica com ele e ativa um projeto liberador que mostre que "outro mundo é possível".[8]

Deus mostra que reina no mundo precisamente pelo fato de que, sendo bom e misericordioso com todas as Suas criaturas (Salmo 86, 15; 145, 9), transforma uma realidade histórico-social injusta em justa, na qual reina a solidariedade e não existem pobres (cf. Dt 15, 4).

Para poder tornar essa utopia uma realidade, colocando sinais dela neste mundo, Deus necessita de um povo que viva de acordo com o que pede a Aliança (cf. Ex 19, 8) e assim se transforme em um "reino sacerdotal", porque é o instrumento do "reinado de Deus" no mundo (cf. Ex 19, 6; AP 1, 6). E a escolha do povo de

---

[7] Desenvolvo mais esse aspecto no meu artigo El Reino de Deus y las parábolas en Marcos. *Revista Latinoamericana de Teologia*, n. 23, p. 3-30, 2006 (reproduzido no meu livro *La palabra no está encadenada*. São Salvador, 2009, p. 191-230).

[8] Por isso, quando um discípulo de Paulo proclama que Deus quer salvar todo mundo (cf. 1 Tim 2, 4), não podemos ignorar essa revelação do Antigo Testamento, se não quisermos correr o perigo de espiritualizar indevidamente o projeto salvador de Deus, tal como Jesus nos revelou.

Deus, portanto (e isso vale, obviamente, também para a Igreja, que tem sua raiz no povo de Israel, como acentua Paulo em Romanos 11), não é consequência dos méritos do povo (cf. Dt 7, 6 e segs.), nem um privilégio exclusivo, pois Egito e Síria também são amados por Deus (cf. Is 19, 19-25); trata-se de um serviço que visa à libertação e salvação de todos os povos da Terra (cf. Gn 12, 1-3).

Por isso Deus pede a Israel que, para agradecer a liberação incondicional que viveu quando seu povo era escravo no Egito (cf. Dt 26, 5-12), ao chegar à terra prometida cumpra o que Deus lhe pede na Aliança (cf. Ex 19, 5; Dt 26, 18-19).

Cumprir a Aliança implica estruturar as leis do povo de modo que não existam pobres entre ele (cf. Dt 15, 4 e todo o cap. 15), porque compartilham (cf. Dt 26, 13-14), perdoam as dívidas a cada sete anos, e a cada 50 anos voltam a repartir as terras para que todas as famílias tenham possibilidade de viver humana e dignamente (cf. Lv 25).

Observemos que, se Deus se interessa tanto em que o povo siga leis que protejam o pobre e o emigrante (cf. Dt 26, 11-13), é porque Ele se caracteriza por ver o sofrimento, ouvir o clamor do oprimido e ajudar a libertá-lo (cf. Ex 3, 7-10; Ex 14-15; Sl 10, 17-18). Por essa razão, o rei, se quer ser um bom lugar-tenente de Deus, deve defender os pobres (cf. Sl 72, 1-4.12-14), possibilitando, assim, que Deus realmente reine.

Esse era o projeto de Deus ao escolher Israel, mas, quando Jesus surgiu na Galileia, o povo de Deus não havia conseguido cumprir a tarefa que Deus lhe recomendara. Não havia deixado Deus reinar; havia trocado o Deus vivo por ídolos como o poder e o dinheiro, que são a ruína das maiorias pobres deste mundo. Profetas importantes como Amós e Isaías haviam denunciado esse fato à exaustão (cf. Is 1, 10-31; Am 5-6).

Jesus pega a tocha desses profetas, como aparece claramente no batismo, em que toma consciência de sua vocação profética, marcada pela figura do Servo de Javé (cf. Mc 1, 9-11 tendo em conta Is 42, 1-2). Pensa que Deus o enviou a Israel para que, finalmente, o povo de Deus possa produzir o fruto da salvação universal que Deus espera dele (cf. Mc 12, 1-12). É, portanto, nesse contexto que Deus quis convocar à conversão esse povo, anunciando a boa-nova de que Deus, com ele, já estava reinando (cf. Mc 1, 14-15). Precisamente o fato de que é uma boa-nova para os pobres e de que ajuda os doentes e marginalizados é sinal de que ele é o Profeta esperado por Israel (cf. Mt 11, 2-6). As Igrejas que nasceram da Páscoa entenderam muito bem esse aspecto de Jesus e o refletiram em suas vidas (cf. Mt 10, 7-8), transformando-se, dessa maneira, no modelo do que depois veio a ser a atuação de monsenhor Romero.

Ao mesmo tempo, Jesus, como os profetas, não se cansava de denunciar a injustiça e as causas – hoje diríamos estruturais – que provocavam, já naquela época, a marginalização das maiorias pobres do seu povo. Ele fazia isso, às vezes, com palavras claras e severas que aborreciam, como aconteceu também com monsenhor Romero, as pessoas que ele exortava à conversão:

> Ai de vós, ricos, porque já tendes vossa consolação!
> Ai de vós, que agora estais fartos, porque tereis fome!
> Ai de vós, que agora rides, porque lamentareis e chorareis!
> Ai de vós, quando todos vos bendisserem, porque dessa forma
> seus antepassados trataram os falsos profetas. (Lc 6, 24-26)

Para concluir esta parte, gostaria de acrescentar que há outro aspecto da atuação de Jesus em que ele foi profundamente fiel ao Antigo Testamento, aspecto esse que monsenhor Romero também soube encarnar em suas atividades pastorais na arquidiocese de São Salvador. Refiro-me à união indissolúvel que há, para Jesus, entre o amor a Deus e ao próximo (cf. Mc 12, 38-44 com Dt 6, 4-5 e Lv 19, 18).

Para Jesus, é óbvio que no início da vida cristã se encontra o amor incondicional de Deus, um amor que, como São Paulo explica muito bem, revela-se claramente no fato de que, quando éramos pecadores, Cristo morreu por nós (cf. Rm 5, 5-10). Contudo, trata-se de um amor que pede retribuição de nossa parte. Por essa razão, para Jesus só retribuímos o amor de Deus, só O amamos realmente se amamos ao próximo como a nós mesmos (cf. Mc 12, 28-34). Por isso é exatamente o amor ao irmão, ao próximo, o que encarna a última vontade de Jesus, seu testamento (cf. Jn 13, 34-35; 15, 11-17).

De fato, para Jesus a regra de ouro, o critério decisivo para ver se cumprimos ou não a vontade de Deus é o extremo amor ao próximo: "Tudo o que quereis que os homens vos façam, fazei-o também a eles, pois nisso consistem a lei e os profetas" (Mt 7, 12). Por isso, consciente da importância dessa afirmação de Jesus, a Igreja que nasce da Páscoa insiste também na unidade indissolúvel da vontade de Deus, já expressa no Antigo Testamento (cf. Rom 13, 8-10).

De fato, a Igreja de Mateus foi ainda mais radical e concreta nessa identificação de qual é realmente a vontade de Deus para sua Igreja, pois termina o último dos cinco grandes discursos de Jesus com uma parábola que é muito útil e não deve ser manipulada: diz-nos que, quando comparecermos perante Deus no Dia do Juízo Final, Jesus, o Filho do Criador, vai nos perguntar (cf. Mt 25, 31-46) até que ponto fomos solidários e libertamos do sofrimento os pobres e os excluídos. Além disso, Ele nos dirá que Se identificou plenamente com os que consideramos às vezes como sendo inferiores, com os que padecem de fome e sede, sofrem de falta de roupas e estão enfermos ou na cadeia. E ressalta que Deus nos julgará por nosso comportamento em relação àquelas pessoas e não por determinados atos clericais ou laicos, por mais solenes que tenham sido.

Esse último aspecto, fundamental para a Igreja de Mateus, foi muito bem representado por monsenhor Romero em sua atuação pastoral a serviço prioritário dos pobres e excluídos por um injusto sistema econômico, político e, por vezes, religioso que provocou, como já acontecia no tempo de Jesus, o sofrimento e a morte das maiorias pobres de sua arquidiocese e de seu país.

Ao mesmo tempo, monsenhor Romero,[9] como Jesus, principalmente a Igreja de Lucas (cf. Lc 16, 13), enfatizou esse aspecto e não se cansou de interpelar os ricos e os causadores do sofrimento injusto das maiorias populares para que se convertessem, como Zaqueu (cf. Lc 19, 1-8). E também para que fossem receptivos à boa-nova do Reino de duas maneiras: compartilhando seus bens com os necessitados e transformando algumas estruturas econômicas e políticas que provocavam tanto sofrimento desnecessário. Para Jesus, era evidente que não se podia servir ao mesmo tempo a Deus e ao dinheiro (cf. Lc 16, 13). Com isso, Jesus está fazendo alusão a um pecado a que hoje chamamos "estrutural" e que pode afetar o mundo inteiro, porque tem suas raízes no pecado pessoal, que não deixa ver nem tratar todas as demais pessoas como irmãos e irmãs.

6. A continuidade entre Israel e a Igreja

É, portanto, nesse contexto do Reino de Deus que aparece a *continuidade entre Israel e a Igreja* que nasce da Páscoa (cf. Rom 11).

---

[9] Transcrevo aqui um texto significativo: "Um chamamento à oligarquia. Repito-lhes o que disse uma outra vez: Não me considerem juiz nem inimigo. Sou simplesmente o pastor, o irmão, o amigo deste povo, que conhece seus sofrimentos, sua fome, suas angústias e, em nome dessas vozes, ergo a minha voz para dizer: não idolatrem suas riquezas, não as salvem de maneira tal que deixem morrer de fome as outras pessoas; compartilhem para poder ser felizes.
O cardeal brasileiro Lorsheider me transmitiu uma comparação muito pitoresca: 'É preciso saber tirar os anéis para que não lhe tirem os dedos' [ou seja: 'Vão-se os anéis, ficam os dedos']. Creio ser uma expressão bem compreensível: quem não quer tirar os anéis, expõe-se a que lhe cortem a mão; e aquele que não quer dar por amor e justiça social faz com que seus bens lhe sejam tirados com violência."

Chama atenção o fato de que Jesus, a princípio, não tenha tencionado fundar uma Igreja. Isso é algo óbvio. A Igreja, o povo de Deus, já existia. Jesus, em vez disso, veio cumprir as promessas feitas por Deus a Seu povo no Antigo Testamento e, portanto, reunir as ovelhas perdidas da casa de Israel (cf. Mt 9, 36-38), como havia prometido Deus por meio do profeta Ezequiel (cf. Ez 34). Jesus sabia que Deus havia escolhido Israel como uma dádiva (cf. Dt 7, 67 e segs.), para que se transformasse em uma luz e em uma bênção para todos os povos da Terra (cf. Gn 12, 1-3). E que devia sê-lo, por sua maneira de viver, alternativa aos falsos valores deste mundo, mostrando, com seu modo de vida, que "outro mundo é possível", um mundo no qual não haveria mais pobres porque até as leis do povo os protegeriam e porque todos dividiriam o que têm com os mais pobres (cf. Dt 26, 11 e segs.), a fim de poder erradicar a pobreza deste mundo, onde os desfavorecidos são maioria.

Todo o Sermão da Montanha (cf. Mt 5-7) quer ser uma radicalização desses valores que se demonstram alternativos e contraculturais para um mundo egoísta. Entretanto, são precisamente esses valores que a Igreja, como povo de Deus, é solicitada a representar, para assim poder ser o sal da Terra e a luz do mundo (cf. Mt 5, 13-16).

Portanto, nesse contexto não é por acaso que, surpreendentemente para a lógica deste mundo (uma lógica à qual Israel sucumbiu com excessiva frequência, o que é uma advertência para a Igreja!), Jesus não quisesse realizar o projeto liberador baseado no poder e, sim, no serviço, simbolizado pela figura misteriosa do Servo de Javé, que carrega as consequências do pecado e assim nos liberta (cf. Mt 8, 16-17; 12, 15-21).

Todavia, Jesus age com uma autoridade, a que chamaríamos de "moral",[10] que surpreende seus próprios companheiros e companheiras, porque supera muito a autoridade dos escribas e fariseus

---

[10] Monsenhor Romero também teve indiscutível autoridade moral.

(cf. Mc 1, 22.27; Mt 7, 28-29). Era uma autoridade que brotava de sua união íntima com Deus, a quem chamava familiarmente *Abba*, isto é, "papai querido", e com quem partilhava, como depois o fez monsenhor Romero, uma relação profunda, em longas horas de oração (cf. Mc 1, 35; Lc 5, 16; 11, 1-4; 22, 39-46 etc.).

Lamentavelmente, o anúncio da vinda do Reino de Deus, tal como Jesus o representava, *provocou uma cisão* entre as pessoas (cf. Lc 2, 34-35). Por um lado, originou *entusiasmo* no povo (principalmente no início, cf. Mc 1, 28.37.45; 2, 2; 3, 7.20; 4, 1; 6, 31,34). E assim foi porque "ele passou fazendo o bem e curando todos os oprimidos pelo demônio" (Ato 10, 38; cf. Mt 8-9).

Contudo, logo provocou também *oposição* entre seus adversários (cf. Mc 3, 6), oposição que foi crescendo, como ocorreu com monsenhor Romero, mas, à medida que aumentava a oposição, Jesus radicalizava sua pregação (cf. Mc 8, 3-10, 45) para evitar mal--entendidos (cf. Mc 8, 27-30). E ele próprio se integrou com os marginalizados (cf. Lc 9, 57-58), para acabar morrendo na cruz, como se fosse mais um excluído deste mundo.

7. Colocar em prática seu martírio, sua morte na cruz, testemunho máximo de amor

A morte de Jesus na cruz, por amor à humanidade e ao Pai, é o fundamento do amor cristão e a expressão máxima do amor de Deus à humanidade (cf. Jn 3, 16). De fato, ninguém ama mais do que aquele que dá a vida pelos outros (cf. Jn 15, 13).

No entanto, por que Jesus precisou morrer? Como puderam acusá-lo de blasfemo e terrorista? Por que são caluniados e têm de morrer, da mesma forma que Jesus, profetas e pastores maravilhosos como monsenhor Romero?

Quando a Igreja que nasce da Páscoa se pergunta por que Jesus, que foi um homem cheio de bondade e compaixão, um homem que evidenciava a misericórdia do Pai (cf. Lucas 15), precisou morrer na cruz, chega à conclusão de que foi a injustiça pessoal e estrutural que domina nosso mundo que quis acabar com Jesus. Todos os evangelhos coincidem nesse ponto. Como diz muito bem J. I. González Faus, Jesus teve de morrer porque "nós, homens, matamos", e Jesus queria pôr um ponto final nessa espiral de violência que tanto sofrimento desnecessário provoca no mundo.

Contudo, foi também o amor fiel de Jesus ao projeto do reinado de Deus que fez com que Ele Se dispusesse a morrer na cruz e não abandonasse o projeto liberador que o Pai Lhe havia confiado. E nisso monsenhor Romero também O acompanhou.

De início, Jesus não procurou o confronto, pois, como acabamos de ver, queria reunir, por determinação do Criador, as ovelhas perdidas da casa de Israel (cf. Mc 6, 34) e reconstituir o povo de Deus, tal como Deus havia prometido no Antigo Testamento (cf. Ez 34; Lc 15, 3-7). Entretanto, *o modo como tornava presente o Reino de Deus* foi se tornando cada vez mais *conflituoso* (cf. Mc 2, 1-3, 6; 1-6a) e escandaloso para os que não queriam se converter com a boa-nova do Reino de Deus, e difícil de entender e de viver para os que queriam segui-lo (cf. Mc 8, 32-33, 9, 32ss; 10, 42-45), pois a lógica de Jesus, que é configurada pelo amor verdadeiro de Deus (cf. Rom 5, 6-11.20b), não era evidentemente a lógica deste mundo, como lembra Jesus a Pedro, quando este se opõe a que Jesus venha a morrer na cruz (cf. Mc 8, 21-33; cf. também Mt 20, 1-16; 25, 31-46; Lc 14, 15-24).

É muito significativo que, quando Marcos revelou por que Jesus se defrontou com um antagonismo tão radical ao ponto de quererem assassiná-lo, tenha dado uma resposta muito simples: porque determinou o bem do ser humano como critério decisivo para cumprir a vontade de Deus.

O amor ao próximo que esteja passando necessidade expressa algo tão fundamental e sagrado que pode passar por cima de leis tão importantes para Israel como a lei de Deus, que mandava não

A Igreja que nasce da Páscoa   31

fazer qualquer tipo de trabalho aos sábados (cf. Ex 20, 8-11). Pois, se em Mc 3, 6 os partidários de uma religiosidade tão popular e comprometida como a dos fariseus e dos políticos, partidários do rei Herodes, decidem matar Jesus, foi porque ele curou em um sábado um homem cuja mão estava paralisada (cf. Mc 3, 1-5). E uma religião que prioriza o bem do pobre e do necessitado aparentemente não lhes interessa; além disso, é perigosa para seus próprios interesses.

Por outro lado, como acabamos de ver no Evangelho de Mateus, o que Deus espera de quaisquer pessoas que formem sua Igreja é que sejam solidárias com todas as pessoas excluídas, pobres e que padeçam de necessidades. Segundo Jesus, elas são o grande sacramento que nos põe em contato com Ele, identificado exatamente com elas e não com os sacerdotes do Templo de Jerusalém ou com as pessoas poderosas e socialmente importantes do povo de Deus (cf. Mt 25, 41-46). Por isso a opção pelos pobres, que Medellín, Puebla e Aparecida tão bem souberam explicitar, está no próprio cerne da revelação do Novo Testamento e de toda Igreja que queira ser uma fiel seguidora de Jesus.

De fato, foi Marcos o primeiro evangelista que pôs por escrito essa tomada de consciência de que foram exatamente o modo de vida de Jesus e a pregação concreta que fazia que determinaram que Ele tivesse de morrer na cruz, condenado pelas autoridades políticas, econômicas e religiosas do seu mundo.

Na visão de Marcos, isso era tão fundamental que ele estruturou todo o seu Evangelho de modo que a sombra da cruz se refletisse em toda a sua obra,[11] pois, à medida que vai ficando cada vez mais claro que o modo como Deus vai reinar não é criando um reino

---

[11] Cf. X. Alegre, Marcos o la corrección de una ideología triunfalista. Pautas para la lectura de un evangelio beligerante y comprometido. *Revista Latinoamericana de Teología*, n. 2, p. 234 e segs., 1984 (também em Id., *Memoria subversiva*, p. 96 e segs.).

poderoso, alternativo ao dos romanos, mas libertando o pobre e o oprimido, vai aumentando a oposição.

Nesse ponto, a vida de monsenhor Romero se assemelhou à de Jesus. Esse fato foi exposto muito nitidamente, com sua habitual clarividência, por Ignácio Ellacuría em 1985, quando a Universidade Centroamericana de El Salvador concedeu a monsenhor Romero o título de *doctor honoris causa*:

> Em uma sociedade configurada pelos poderes da morte, ele [monsenhor Romero], que incentivava os princípios da vida, não pôde ser tolerado. Como a missão de seu grande mestre Jesus de Nazaré, sua missão pública à frente do arcebispado durou apenas três anos. Reunidos os poderes das trevas, decidiram acabar com quem, como no caso de Jesus, foi acusado de sublevar o povo desde a Galileia até a Judeia, desde Chalatenango até Morazán. E calaram-no com um tiro mortal, porque o povo não havia permitido que o crucificassem em público. Só assim conseguiram calar o profeta, mas já naquele tempo a semente havia frutificado e sua voz havia sido acolhida por milhares de gargantas que, com o monsenhor, haviam recobrado a voz perdida. Os que não tinham voz agora a tinham, a sua e a do monsenhor. E, ao ficar órfãos, podiam alcançar sua maioridade e, dessa forma, transformar-se em pais de novos filhos, inumeráveis como os grãos de areia de uma praia. E o assassinado foi um mártir. Mataram-no porque revelava e denunciava, baseado no Evangelho, os males do país e aqueles que os perpetravam, mas morreu porque o amor de Deus e o amor do povo lhe estavam pedindo que desse a vida como testemunho daquilo que pregava. Por isso ressuscitou no povo pelo qual havia morrido, e por isso esperou também a ressurreição cristã na qual confiava, sem sombra de dúvida.

Ante a realidade da morte e a ressurreição de Jesus, a Igreja que nasce da Páscoa se conscientizou da maneira pela qual pode incentivar todo o amor que foi testemunhado na cruz de Jesus: continuando com o projeto pelo qual Ele tinha dado a vida. Por isso não é por acaso que, para explicar o que a experiência pascal significou para seus discípulos, todos os evangelistas contaram, baseados no que demonstrou a luz da Páscoa, o que havia sido a vida de Jesus que O levou a ser crucificado e a ressuscitar. E é muito significativo que foi precisamente o primeiro evangelista (depois seguido pelos demais evangelistas) que quis recuperar toda a vida de Jesus, situando-a na base de um chamamento de *seguir Jesus* (cf. Mc 1, 16-20 com 16, 7). Esse seguimento implicava, como para Jesus, a *opção pelos pobres.*

De qualquer maneira, chama atenção, em face do crescente antagonismo que Jesus ia encontrando, que o Mestre não tenha esmorecido nem tenha abandonado ou amenizado o projeto que Deus Lhe havia confiado. Perante a crescente oposição, inclusive por parte dos (sumos) sacerdotes do povo de Deus, Jesus não renunciou a anunciar o Reino, porque acreditava que o esforço valia a pena, pois o Reino de Deus era um tesouro, uma pérola preciosa que merecia que se abdicasse de tudo o mais (cf. Mt 13, 44-46).

Por outro lado, Jesus não se deixava desanimar pelos fracassos aparentes que acompanhavam seus atos e que O levavam a Se conscientizar de que O acabariam assassinando. Porque, a partir de sua profunda relação com Deus – no que foi seguido por monsenhor Romero –, acreditava haver motivos para ter *esperança*, embora o êxito superficial não acompanhasse Sua atividade (cf. Mc 4, 3-9.30-32), como tampouco acompanhará depois a atividade das Igrejas que nasceriam da Páscoa. Essas Igrejas também serão perseguidas (cf. Mc 13, 9-13; Mt 10, 16,33; Lc 21, 12-19), da forma como ocorrera com seu Mestre (cf. Jn 15, 18-21). De fato, Jesus continuou, apesar da crescente oposição e das ameaças de morte, fiel a Seu projeto – no que também foi seguido por monsenhor Romero –, porque estava convencido de que o Reino era algo que estava nas mãos de Deus e tinha uma força incomparável, como a semente que cresce por si só (cf. Mc 4, 26-29).

Porém, não era nada fácil manter firme a esperança em meio aos aparentes fracassos e à oposição cada vez maior. Como tampouco era fácil seguir Jesus em sua opção preferencial pelos pobres e nas denúncias de injustiça. Por isso as Igrejas que nascem da Páscoa insistem, baseando-se nos ensinamentos de Jesus, em que, para poder trabalhar pelo Reino, é preciso transformar-se continuamente e perseverar na oração, como muito bem entendeu monsenhor Romero[12] mais tarde.

Jesus, de qualquer maneira, não se intimidou com as ameaças de morte. Além disso, confiava em que sua entrega generosa ao projeto do Reinado de Deus seria uma semente fecunda que faria com que o Reino se desenvolvesse plenamente (cf. Jn 12, 24). E, embora tenha sido muito lúcido e anunciasse que O acabariam matando (cf. Mc 9, 31; 12, 6-80), anunciou também que a morte não seria a última palavra de Deus sobre Ele: Deus O ressuscitaria pessoalmente, de modo que, como recordam os evangelistas, acabaria Se transformando na pedra fundamental sobre a qual se edificaria a Igreja que nasceria da Páscoa (cf. Mc 12, 10-11). Por isso entregou Sua vida livre e generosamente (cf. Jn 10, 17-18).

Essa generosidade diante da própria morte e a confiança de que ela não seria inútil e, sim, que serviria para a realização do projeto salvador de Deus foram o que certamente inspirou monsenhor

---

[12] Disse monsenhor Romero na sua homilia de 13 de novembro de 1977: "Eu, que lhes estou falando, necessito estar sempre me transformando. O pecador, o religioso, a religiosa, o colégio católico, a paróquia, o pároco, a comunidade, a Igreja, todos eles precisam se transformar no que Deus quer neste momento da história de El Salvador. Se uma pessoa vive em um cristianismo ótimo, mas não está de acordo com nossa época, que não denuncia as injustiças, que não proclama o reino de Deus com desassombro, que não rejeita o pecado dos homens, que consente, para agradar a certas classes, os pecados dessas classes, não está cumprindo seu dever; está pecando, está traindo sua missão."

Romero quando, ao prever que iam matá-lo, expressou sua fé em Deus que ressuscita os mortos e confiou em que ressuscitaria no povo salvadorenho:

Tenho sido frequentemente ameaçado de morte. Devo dizer que, como cristão, não creio na morte sem ressurreição; se me matarem, ressuscitarei no povo salvadorenho. Digo isso sem nenhuma arrogância, e com a maior humildade: como pastor estou obrigado, por mandato divino, a dar a vida por aqueles a quem amo, que são todos os salvadorenhos, e também por aqueles que venham a me assassinar. Se chegarem a cumprir as ameaças, desde já ofereço a Deus meu sangue pela redenção e ressurreição de El Salvador. O martírio é uma graça que não creio merecer, mas se Deus aceitar o sacrifício de minha vida, que meu sangue seja uma semente de liberdade e o sinal de que a esperança em breve será uma realidade. Que minha morte, se aceita por Deus, seja em nome da libertação do meu povo, e um testemunho de esperança no futuro. Pode ter certeza: se me matarem, perdoarei e abençoarei aqueles que o fizerem; oxalá assim se convençam de que perderão seu tempo. Um bispo morrerá, mas a Igreja de Deus, que é o povo, jamais perecerá.

8. Prestar testemunho de que Deus ressuscitou Jesus, o crucificado, dando razão à vítima, em oposição a seus carrascos

A ressurreição de Jesus é o fundamento da esperança cristã (1 Cor 15, 13-14). De fato, o aparente fracasso de Jesus morrendo na cruz poderia levar a pensar que Deus não estava com Ele e que Sua vida, portanto, não valeria a pena. Jesus havia sido, pelo menos para Seus amigos, apenas mais uma das numerosas pessoas boas e idealistas da história que acabaram vítimas dos poderes constituídos deste mundo, que tão frequentemente se deixam dominar pelo egoísmo (cf. Mc 10, 42).

Entretanto, a experiência da ressurreição mudou radicalmente a visão da morte de Jesus. Na consciência dos amigos e amigas de Jesus, profundamente marcados pela religião judaica, a ressurreição implicava que Deus havia tomado partido a favor de Jesus. E se Deus havia dado razão à vítima, e não aos Seus carrascos, isso queria dizer que valia a pena viver como Jesus viveu. E também que, ao final, o bem – que Jesus havia representado em vida – triunfaria sobre o mal.

Refletindo sobre o significado da ressurreição de Jesus, Sobrino[13] inferiu uma consequência importante:

> Deus ressuscitou quem, por haver vivido de determinada maneira, havia sido crucificado. Deus ressuscitou um justo e inocente e, por isso, uma vítima. Portanto, a ressurreição de Jesus não é apenas um símbolo da absoluta onipotência de Deus – como se Deus tivesse decidido arbitrariamente, sem conexão com a vida e o destino de Jesus, mostrar sua onipotência e assim revelar-se como Deus –, mas é apresentada como a defesa que faz Deus da vida do justo e das vítimas.

Por isso se pode afirmar que a ressurreição de Jesus é uma boa-nova para as vítimas e a garantia de que Deus lhes fará justiça, e é, ao mesmo tempo, um convite a viver da mesma forma pela qual Jesus viveu Sua vida pública.

Consideremos que essa experiência fundamental possibilitou o nascimento da Igreja depois da Páscoa. Os discípulos se conscientizaram do grande privilégio que haviam tido ao testemunhar a vida de Jesus, do Seu modo de falar de Deus e da Sua ação libertadora e generosa ao ponto de dar a vida por isso. Era um dom que então se transformou para eles em tarefa. Era preciso prestar testemunho de

---

[13] Jon Sobrino, sacerdote e teólogo jesuíta espanhol que vive em São Salvador e é importante figura da Teologia da Libertação. (N.T.)

algo que mudava radicalmente o modo de ver a realidade e era uma boa-nova para o mundo inteiro. E que, por sua vez, dava uma nova luz à maneira como o Deus de Israel Se havia feito presente uma vez mais e havia agido neste mundo, tão necessitado de salvação. O fundamental para seus discípulos, então, não era chorar Sua morte. Tampouco procurar entre os mortos os que haviam ido ao seu encontro e a eles Se havia revelado vivo (cf. Mc 16, 1-8; Mt 28, 1-8; Lc 24, 1-8; Jn 20, 1-18). O fundamental era recuperar o projeto de Jesus e procurar vivê-lo da forma que Ele havia ensinado e vivido, até dar Sua vida por isso na cruz. E precisavam fazê-lo seguindo Jesus e fazendo, como Ele fizera, uma opção pelos pobres. Mesmo que isso pudesse levar – como de fato levou – os discípulos a serem perseguidos. O Mestre já os havia advertido a respeito, preparando-os para o que ocorreria depois da Páscoa:

> Eu lhes disse isso para que sua fé não sucumba na prova, porque vocês serão expulsos da sinagoga. Além disso, chegará o momento em que suas vidas lhes serão tiradas, pensando que estão homenageando Deus. E agirão assim porque não conhecem o Criador nem me conhecem. Vou logo lhes dizendo isso para que, quando chegue a hora, vocês se lembrem de que eu os havia prevenido. (Jn 16, 1-4)

Por isso no cerne da vida da Igreja que nasce da Páscoa ecoa sem cessar a palavra de Deus: "Se alguém quiser vir após mim, negue-se a si mesmo, tome sua cruz e siga-me" (Mc 8, 34). Pois, de acordo com o Crucificado, a quem Deus ressuscitou, "uma vida sacrificada e entregue ao serviço e em defesa dos sacrificados é a melhor expressão de fé viva no Ressuscitado".[14]

---

[14] Cf. J. A. Pagola, *Creer en el Resucitado. Esperar em nuestra resurrección*. Santander, 1991, p. 17. Na mesma linha, J. Sobrino (La Pascua de Jesús y la revelación de Dios desde la perspectiva de las víctimas. *Sal Terrae*, n. 83, p. 205, 1995) chega à

A experiência pascoal levou a Igreja, como muito bem formulou Mateus (cf. 28, 16-10), por um lado, a participar plenamente da vida de Jesus, graças ao batismo, que expressa o dom do amor verdadeiro de Deus, que leva à comunhão com Ele. Contudo, por outro lado, implicou também a missão de converter todas as pessoas em discípulas de Jesus, ensinando-as a obedecer a tudo que Jesus havia ensinado na Sua vida terrena.[15]

Mas não se tratava de reproduzir as palavras de Jesus como se fossem um fóssil. Pela ressurreição de Jesus, a Igreja sabia que Ele permanecia vivo. Por isso a fidelidade a Jesus devia ser criadora,[16] representando o projeto de Jesus em cada Igreja, considerando os sinais dos tempos, isto é, a realidade que vivia cada Igreja. Para isso tinham a ajuda do Espírito Santo, que, além do mais, lhes possibilitava a íntima união com o Ressuscitado, à semelhança da maneira como a vida está ligada ao ramo de videira, pois só se a Igreja se mantivesse unida a Jesus poderia dar frutos abundantes, embora encontrasse oposição e não tivesse êxito aparente (cf. Jn 15, 1-10).

9. Conclusão

Portanto, como eram as Igrejas que nasceram da Páscoa?

---

seguinte conclusão: "Por afirmá-lo desde o princípio, o mistério pascoal revela: 1) um Deus parcial em relação às vítimas, às quais faz justiça; 2) um Deus em luta com os deuses, 'perdedor' e 'vencedor', digamos, ao longo da história; 3) um Deus que é, ao mesmo tempo, maior e menor e, portanto, dialético; e, por isso, 4) um Deus que somente no final será tudo em todo, e, a partir disso, sua futuridade. Correlativamente, a fé – no sentido de *fides qua* – nesse Deus significa: 1) esperança de que o verdugo não triunfará sobre a vítima; 2) ação concreta agonística contra os ídolos; 3) permitir que Deus seja Deus, mistério absoluto; e 4) caminhar humildemente na história, até sua consumação."

[15] Ao indicar que o Ressuscitado aparece em certa montanha da Galileia, Mateus está pensando, de modo especial, no Sermão da Montanha, no início do Evangelho, que é como a carta magna da Igreja de Mateus (cf. Mt 5-7).

[16] A Igreja de João testemunha muito bem esse aspecto.

Eram Igrejas que, recuperando a lembrança do que havia dito e feito Jesus, sentiram-se convocadas, pelo dom verdadeiro de Deus, a ser o *povo de Deus, realizando a Nova Aliança (*cf. Mc 14, 22-25; 1 Cor 11, 23-25; cf. Jer 31, 31-34; Ez 36, 24-27). Por isso, quando Lucas quer nos apresentar o modelo de Igreja no início do cristianismo, descreve-nos a primeira Igreja, a Igreja principal de Jerusalém, como uma Igreja na qual não há pobres, porque todos dividem o que possuem entre todos (cf. Atos 2, 42-47; 4, 32-35).

Assim se cumpre o que Deus havia encarregado a Israel por meio de Moisés (cf. Dt 15, 4), ressaltando-se que o "pecado original", que introduziu a morte nessa comunidade, foi o de Ananias e Safira, que mentiram aos Apóstolos para não precisar compartilhar tudo o que tinham com os demais (cf. Atos 5, 1-11).

Por outro lado, foram Igrejas que expuseram publicamente a morte de Jesus, recordando fielmente o que ele havia feito e dito ao longo de uma vida totalmente dedicada ao próximo, em especial aos mais pobres e excluídos. Por isso, depois da Páscoa e por fidelidade a Jesus, baseadas no fato de que Deus havia dado razão ao Crucificado, sentiram-se convocadas a *seguir Jesus* e a *optar pelos pobres,* como fizera o Mestre. Foram Igrejas que se distinguiram extremamente pelo serviço ao mundo e aos pobres (cf. Mc 10, 42-45; Jn 13, 1-200), respeitando, por obediência a Jesus, a fraternidade radical de todos os membros da Igreja (cf. Mt 23, 1-12).[17]

Por isso foram Igrejas *perseguidas* (Mc 13, 9-13) pelos poderes injustos deste mundo, como acontecera com Jesus,[18] e foram Igrejas

---

[17] Cf. X. Alegre, Utopía: la Iglesia tal como Jesús la quería. Alegre, X. et al. *Iglesia, ¿de dónde vienes? ¿a dónde vas?.* Barcelona, 1989, p. 19-52 (também em Id., *Memória subversiva*, p. 171-200).

[18] Gostaria de recordar apenas dois textos de monsenhor Romero que mostram a sua afinidade com a Igreja de serviços e fraternal que queria Jesus, segundo o Evangelho: "Assim, como irmão, como amigo é que quero ser considerado em meu ministério, é como falei nesta carta, para alegrar-me precisamente por Deus me haver preparado um pórtico inesperado para entrar em meu novo ministério hierárquico" (17 abr.

corajosas, que se puseram ao lado e do lado dos pobres, denunciando os ídolos deste mundo, os poderes injustos que ameaçavam os pobres (Ap 13; Rom 1, 18-32). E nunca perderam a esperança.[19]

Foram também Igrejas profundamente *ricas e múltiplas*, de modo que a elas se aplicará bem a imagem de Paulo, que fala da Igreja como sendo o Corpo de Cristo, no qual, formando uma unidade íntima, a pluralidade de dons e serviços as distinguia (cf. 1 Cor 12-14).[20]

Foram, finalmente, Igrejas que dialogaram e respeitaram a pluralidade de formas que foram adquirindo as Igrejas à medida que se foram fazendo representar em diversos lugares e culturas (cf. Ga 2, 1-10; Atos 15). E, ao mesmo tempo, devotadas à unidade entre elas, sem desprezar sua pluralidade (cf. Jn 17, 20-23; 1 Cor, 10-13).[21]

Foi isso que compreendeu muito bem monsenhor Romero, cujo trigésimo aniversário do martírio estamos celebrando. Por isso seu serviço eclesiástico foi marcado pela fidelidade a Jesus de Nazaré e às Igrejas que nascem da Páscoa, algumas Igrejas comentadas no Novo Testamento. Sua recordação continua viva entre nós, no mundo inteiro. Pois, como o próprio monsenhor anunciou, ele ressuscitou no povo salvadorenho. E é parte, como anuncia o Apocalipse,

---

1977). "Nós bispos não mandamos com um sentido despótico. Não deve ser assim. O bispo é o servidor mais humilde da comunidade, porque Cristo disse aos apóstolos, os primeiros bispos: 'Quem quiser ser o maior entre vocês, seja o menor, seja o servidor de todos. Nosso mandato é serviço, nossa orientação, nossa palavra é serviço'" (Homilia, 23 abr. 1978).

[20] Também nessas características se descobre a profunda sintonia de monsenhor Romero com as Igrejas que nasceram da Páscoa. A esperança é tema recorrente de seus sermões. Lembrarei apenas um texto: "Como é lindo ser cristão! Realmente, significa abraçar a palavra de Deus, fazer Sua a força da salvação, ter esperança mesmo quando tudo pareça perdido. Por isso, meus irmãos, meu trabalho aqui na catedral e no meu ministério episcopal, e minha maior satisfação e alegria quando escuto o povo, como aconteceu esta semana em diversas manifestações, quando ouvi pessoas dizerem que lhes transmitimos esperança e despertamos sua fé" (Homilia, 16 jul. 1978).

[21] São inúmeros os textos de Romero em que ele ressalta sua comunhão com o Papa e com a Igreja universal.

de uma grande multidão que ninguém podia contar, de todas as nações, tribos, povos e línguas, diante do trono e do Cordeiro, com vestes brancas e palmas nas mãos. E clamavam em alta voz: a salvação pertence ao nosso Deus, que se assenta no trono, e ao Cordeiro. (cf. Ap 7, 9-10)

Perto do pobre, *perto* de Deus

Gustavo Gutiérrez*

Sempre foi uma graça para mim estar presente nos aniversários da entrega *martirial* de monsenhor Romero. Agradeço o convite que me permite fazê-lo uma vez mais.

Esses encontros são balizas muito importantes em nossas vidas, entre outras coisas, ou, talvez, sobretudo, porque nos põem em contato, sem restrições, com as fontes mesmas da mensagem cristã. Chamam a uma revisão de vida e à reflexão. Recordar Romero significa nos pormos ante a provocação de sua mensagem e de sua vida, nos perguntarmos por nossa fidelidade ao Evangelho, e também, por que não?, por nossas infidelidades. Monsenhor nos desafia a manter muito ligadas a *cercania* a Deus e a *cercania* ao pobre.

João XXIII, em 11 de setembro de 1962, exatamente um mês antes do início do Vaticano II, em uma radiomensagem relacionada com o Concílio, e de maneira algo surpreendente, pronunciou umas palavras inspiradoras: "Em face dos países subdesenvolvidos, a Igreja é e quer ser a Igreja de todos e, particularmente, a Igreja dos pobres." Cada palavra conta. Há um "já", mas, sobretudo, um "ainda não", uma realidade e um projeto. Proposta fecunda que, por diversas razões, não gravitou significativamente nos documentos conciliares, mas repercutiu com força na América Latina e no Caribe, continente

---

* Teólogo peruano e padre dominicano considerado o fundador da Teologia da Libertação. (N.T.).

de maioria *cristã* e, ao mesmo tempo, pobre e à margem, duas notas que, evidentemente, estão em escandalosa contradição.

Por essa razão, a perspectiva da "Igreja dos pobres" encontrou, entre nós, um terreno abonado. A presença dos pobres e a pobreza se fizeram cada vez nítidas e deram lugar a experiências e reflexões que se expressaram nas conferências episcopais continentais e, acima de tudo, nos compromissos solidários de numerosos cristãos. Monsenhor Oscar Romero é um deles, e dos mais relevantes.

Um texto de Romero nos servirá de linha condutora nestas considerações. Dizia ele: "Há um critério para saber se Deus está *perto* de nós ou se está longe: todo aquele que se preocupa com o faminto, o nu, o pobre, o desaparecido, o torturado, o prisioneiro, com toda essa carne que sofre, tem Deus *perto*. [...] como me porto com o pobre? Porque ali está Deus" (Homilia, 5 fev. 1978).

A referência – explícita ou implícita – ao texto de Mateus 25, 31-46, frequente em suas homilias, é clara. De uma vez, sua leitura o atualiza apelando a cruéis situações que o povo salvadorenho vivia nesses dias: desaparecidos, torturados, sofrimentos. Condições que ressalta (não é a única vez que emprega essa expressão) chamando os pobres de "carne que sofre", uma dor que os maltrata.

Aproximar-se do pobre é aproximar-se de Deus. Não se trata unicamente de "acreditar", mas, sim, de "estar *perto*", familiarmente *perto*; expressão que recorda o texto de Deuteronômio: "Escolhe a vida, e viverá [...] amando ao Senhor seu Deus, escutando sua voz, te pegando a ele, pois ele é sua vida" (30, 19-30). Assim fazemos nossa a prática de Jesus.

1. Memória: ação de obrigado e *serviço*

Os Evangelhos indicam duas pistas para que assimilemos a *prática* de Jesus. Trata-se, na verdade, de duas memórias, capazes de nos fazer próximos a Jesus. Vamos recordá-las, mas antes entremos no significado da memória, um tema presente em qualquer parte na Escritura.

Na Bíblia, a memória não se refere à primeira relação, e muito menos exclusiva, com o passado; aponta, na verdade, para um *presente* que se projeta à frente. O passado está ali, dá densidade ao momento atual do crente; expressemo-lo com os termos, precisos e breves, de Santo Agostinho: "A memória é o *presente* do passado." A evocação de um fato anterior se faz na medida em que tem vigência no *presente*. A memória não nos fixa ao passado, não é uma lembrança nostálgica. A memória, em ambos os Testamentos, vai além do *conceitual*, desemboca sempre em uma conduta, em uma *prática* destinada a transformar a realidade. Recordar é uma manifestação de amor, estar *perto* de alguém, hoje. A memória tampouco se identifica com a história, se por esta entendemos um simples relato de feitos pretéritos. A memória vai diretamente ao sentido profundo da história, não aos detalhes dela. Os Evangelhos são, por exemplo, memórias do testemunho de Jesus, coincidem no substancial, diferem no *miúdo*. Todo *intento* de nivelamento desses livros bíblicos empobrece a mensagem.

No último jantar, ao instituir a Eucaristia, Jesus diz a seus amigos: "Façam isto em minha memória." A prescrição compreende o conjunto da existência de Jesus Cristo: sua vida, morte e ressurreição, assim como tudo o que foi ensinado por ele, por meio de seus gestos e palavras, de modo que seu testemunho seja a pauta permanente, a fonte inspiradora, do comportamento crente. A Eucaristia é uma celebração que vai além do ritual e formal. Ou, para ser mais exato, que dá ao rito sua força e seu alcance colocando-o no horizonte do sentido que o culto tem na Bíblia: seu vínculo com a conversão do coração e a *prática* da justiça, reclamado constantemente pelos profetas: "Não quero sacrifícios, quero corações contritos" é uma advertência que Jesus cita. Manter fresca e exigente essa memória será o encargo de Paráclito, a quem diz Jesus para "recordar tudo o que eu hei dito" (Jn 14,26). Rememora-se o jantar e, nele, todo o conteúdo do testemunho que Jesus deu quando esteve presente em nossa história.

Há uma segunda forma de memória nos Evangelhos. Na ampla narração que João faz do último jantar, não se acha a instituição da Eucaristia. Fala-nos, antes, do gesto que conhecemos como a lavagem dos pés. Gesto simbólico, que expressa hospitalidade, que levavam a cabo, nesse tempo, os serventes de quem convidava, ou o próprio anfitrião, como nesse caso. É um humilde *signo de serviço* e acolhida; recordamo-lo na liturgia da Quinta-feira Santa, mas terei de recuperar seu pleno sentido. Terminada a lavagem, Jesus lhes diz: "Compreendem o que tenho feito com vocês? [...] vocês também devem lavar os pés uns dos outros. Porque lhes dei exemplo para que também *vocês façam* como eu o tenho feito com vocês" (Jn 13, 12 e 15). A frase é sinônima de "Façam isto em minha memória", pois em ambas as situações estamos diante de um "fazer", algo que não se limita a uma simples repetição formal. A lavagem dos pés é um exigente gesto simbólico que nos põe no caminho do seguimento de Jesus. Um *serviço* que concerne à própria Igreja: "A autoridade da Igreja não é mandato, é *serviço* [...]. Quero ser o servidor de Deus e de vocês" (Homilia, 10 set. 1978), afirmava o bispo Romero.

Por meio da atualização dessas duas memórias – gratidão por sua entrega, *serviço* ao outro –, fazemos nossa a *prática* de Jesus. São inseparáveis, não se pode escolher entre elas; se deixarmos uma de lado, perdemos as duas. No fundo são uma só memória. Memória cultural e memória existencial foram chamadas, duas formas de "lembrar-se de Jesus Cristo" (2 Tim 2,8). Constituem um requerimento permanente destinado a durar no tempo, para dar continuamente nova vitalidade à nossa condição de seguidores de Jesus. Elas constroem a comunidade *cristã* como *signo* da presença do Reino na história. Fazem *presente* Aquele que amou tanto o mundo que enviou a ele Seu próprio Filho.

Mateus faz ver a *circularidade* dessas duas memórias: "Se, no momento de ir apresentar sua oferenda diante do altar, recorda que seu irmão tem algo contra ti, dá meia-volta, te reconcilia com teu irmão e volta a apresentar a oferenda" (5, 23-24). Oferenda a Deus e comunhão com os outros, a segunda é requerimento e condição da primeira. Na mesma linha se situa São Vicente de Paulo. Em uma carta às irmãs da caridade, ele escreve: "Se for vontade de Deus que tenha de assistir a um doente no domingo, em vez de ouvir a missa, embora seja obrigação, terei de fazê-lo". E conclui: "A isso se chama deixar Deus por Deus." De forma paradoxal, nos diz que não se abandona Deus; valora o *serviço* e o une à ação de obrigado. Ter *presente* os dois lados de uma memória única constrói a comunidade *cristã*.

"Uma Igreja de todos, mas particularmente dos pobres", como se propôs forjar monsenhor Romero, vive dessas duas memórias. É impressionante ver seus esforços para não separar e manter unidas essas duas dimensões. Foi alguém profundamente imerso na história de seu país e do mundo, e, ao mesmo tempo, extremamente atento a dar graças ao Senhor.

No começo do Evangelho de Lucas, o salmo que conhecemos como *Magnificat*, encontramos essas duas vertentes. Toda a primeira parte ("Engrandece minha alma o Senhor...") é uma ação de obrigado pelos dons que Maria recebeu de Deus. Logo, na segunda parte, fala do que significa a presença de Deus na vida de seu povo e de seu amor preferencial pelos pobres e insignificantes. O texto antecipa o "programa messiânico" de Lucas 4. Ser uma Igreja dos pobres é uma vocação de toda a Igreja. Uma Igreja que vive as duas memórias, que canta o *Magnificat*.

2. Gratuidade e justiça

Essas memórias (ou essa memória, mas sem confusão) devem ser comunicadas. E aqui há também dois sulcos. A linguagem da gratuidade recorda a iniciativa de Deus que "nos amou primeiro" (1 Jn 4, 19), além de nossos méritos.

Diz isso, de outro modo, a carta aos Efésios: Deus "escolheunos nele, antes da fundação do mundo [...], para ser Seus filhos adotivos por meio de Jesus Cristo" (1, 4-5). Chamados à filiação antes mesmo de ser criados. A resposta a esse dom é amar como Jesus "nos amou" (cf. Jn 15, 12): gratuitamente, fazendo-nos próximos de outras pessoas e solidários na busca da justiça aos mais pobres e à margem, quaisquer que sejam seus méritos e valores pessoais. Em uma palavra, como se diz nos Evangelhos: "dar grátis o que recebemos grátis" (Mt 10, 8). Nisso insistiu Bartolomé de Las Casas a propósito da evangelização das Índias ante aqueles que pretendiam ter direito às minas e outras riquezas dos índios, por lhes haver trazido – diziam – o Evangelho. Ou seja, o autêntico agradecimento ao amor de Deus supõe que saibamos amar com a mesma gratuidade.

Isso é a amizade de que nos fala o Evangelho de João: "Não os chamo já servos porque o servo não sabe o que faz seu amo; chamei-os amigos", e acrescenta a razão: "porque tudo o que ouvi de meu Pai os dei a conhecer" (15, 15). A amizade é o terreno do amor e da gratuidade. Com os amigos se compartilha o sentido de nossas vidas, não se lhes dá ordens. Não há amor autêntico a não ser entre pessoas de certo modo iguais, em que pesem as diferenças normais, reconhecidas em sua dignidade. A propósito disso, há na Conferência Episcopal de Aparecida um interessante texto sobre a amizade: "Somente a *cercania* que nos faz amigos nos permite apreciar profundamente os valores dos pobres de hoje, seus legítimos desejos, e seu modo próprio de viver a opção pelos pobres deve nos conduzir à amizade com os pobres" (n. 398). A opção pelo pobre implica uma solidariedade com pessoas concretas.

Disso deu, igualmente, testemunho monsenhor Romero. Em uma ocasião, ante o assassinato de alguns catequistas (Felipe de Jesus e a outro a quem chamavam Polín) que tinha conhecido bem, disse: "Chorei-os seriamente e com eles a outros muitos que foram catequistas, trabalhadores de nossas comunidades" (Homilia, 27 ago. 1978). Chorar, isso é amizade, é compaixão, na significação própria da palavra: sofrer com o outro. Um sentimento é parte do mundo da gratuidade. Está claro que não emprego o termo "gratuidade" como sinônimo de "arbitrário", como às vezes ocorre na linguagem corrente. Refiro-me ao gesto que vai diretamente ao outro, fiel a Deus que "nos amou primeiro".

Nosso compromisso e solidariedade com o pobre significará tomar a iniciativa, indo para ele como na parábola do samaritano, que deixa seu caminho e se aproxima de "certa pessoa (*anthropos*, Lc 10, 30) de quem não se sabe absolutamente nada, salvo que necessita de ajuda. Em termos narrativos, é o personagem central do texto. De outros personagens se sabe algo a respeito de sua posição na sociedade; dele ignoramos tudo. Personagem anônimo que faz ver que o gesto do samaritano está movido unicamente pela compaixão. Sem se perguntar quem é a pessoa de quem se aproxima e a quem ajuda, sentiu-se interpelado por esse ser humano anônimo e simplesmente saiu de seu caminho e o atendeu, fez-se seu próximo. Com efeito, estritamente falando, não os *temos* próximos, os *fazemos* ao nos aproximarmos deles.

A segunda linguagem é a profética ou da justiça. De algum modo corresponde à memória do *serviço*, assim como a da gratuidade corresponde à memória da ação de obrigado pela vida de Jesus. Com a linguagem da justiça, estamos outra vez ante um tema central na Bíblia. Nela, o termo justiça remete à justiça social, ao reconhecimento dos direitos das pessoas, com um acento na condição dos mais pobres.

A linguagem profética tem em conta o dia a dia das injustiças, prosternações, maus-tratos, mortes, lucros, sofrimentos, alegrias que se dão na história. É uma linguagem que denuncia o que vai contra a mensagem do Reino e que anuncia sua presença na história. A respeito disso, e por experiência, Romero rechaçava:

"Uma palavra muito espiritualista, sem compromisso com a história, que pode soar em qualquer parte do mundo porque não é de nenhuma parte, não cria problemas, nem conflitos" (Homilia, 10 dez. 1977). Espiritualista, não espiritual. Era consciente de que sua palavra clara, precisa e próxima à situação que atravessava seu povo lhe atrairia dificuldades e hostilidade, mas não pronunciá-la seria trair o Evangelho.

Podemos, no caso, dizer que a compaixão e a proximidade das pessoas prejudicaram monsenhor em seu compromisso e sua força para defender publicamente os direitos dessas pessoas maltratadas? De maneira nenhuma. Deram-lhe mais força para fazê-lo. Poderíamos dizer que sua luta pela justiça o fez esquecer a ação de graças? Parece-me que, uma vez mais, como no caso das duas memórias, conservar unidas as duas linguagens deu precisão e um grande alcance a seu testemunho.

Ocorre que estamos diante de duas linguagens que andam juntas. Em uma homilia, Santo Agostinho dizia à sua gente: "Cantem, mas caminhem." "Cantem", oração, canto, agradecimento a Deus, mas "caminhem", tomem uma rota, *história*. É uma intuição *cristã*. Cantar é algo belo e gratuito que manifesta alegria, e caminhar é tarefa que se orienta a uma *meta* determinada. É contemplar e praticar, gratuidade e justiça, mística e profecia. A linguagem da gratuidade dá horizonte à da justiça, coloca-a no marco do amor gratuito de Deus, do Deus amor. Deus não é amor porque ama, mas, sim, ama porque é amor. Não é justo porque faz justiça, mas, sim, faz justiça porque é justo. Por sua vez, a linguagem da justiça dá concreção histórica à da gratuidade e contemplativa e contribui para inseri-la na história de pessoas e povos.

3. Pobreza espiritual e pobreza voluntária

A pobreza espiritual não é, em primeiro lugar, o desprendimento dos bens deste mundo. Essa atitude é a ineludível consequência de algo um pouco mais profundo e significativo: pôr nossas vidas nas mãos de Deus. O texto bíblico maior, mas não único, é: "Bem-aventurados os pobres de espírito" (Mt 5, 3). A pobreza espiritual é uma expressão sinônima de "infância espiritual" e qualifica a conduta do discípulo de Cristo. São duas metáforas – a primeira parte de uma situação social; a outra, das idades do ser humano – que, colocadas em uma área espiritual, manifestam o que deve ser nossa relação com Deus. A pobreza espiritual se alimenta da vontade de Deus, como o faz Jesus, segundo o Evangelho de João.

Não é que os bens materiais não sejam necessários para a vida humana, trata-se de estabelecer prioridades, saber o que vem em primeiro e o que vem em segundo lugar. Essa é a verdadeira mensagem da passagem qualificada, de maneira um pouco ambígua, de abandono à Providência (Mt 6, 25-32), e que é, na verdade, um chamado à liberdade: "não vale mais a vida que o alimento", "não se preocupem, não *trabalhem em excesso*". Liberdade espiritual que nos põe em condições de procurar, em primeiro lugar, "o Reino de Deus e Sua justiça" e compreender que todo o resto nos será dado como *acréscimo* (cf. Mt 6, 33). É uma condição indispensável da pobreza espiritual.

Voltarei a isso, mas recordemos agora a outra acepção bíblica de nosso termo, a "pobreza real" (às vezes chamada de "pobreza material"). É a pobreza ou insignificância social que tantos vivem em nosso mundo. Ela não se reduz à sua vertente econômica, por mais importante que esta seja. A pobreza é uma realidade complexa, com diferentes arestas; por isso, no marco da reflexão teológica que fazemos na América Latina e no Caribe, falamos da insignificância social em que vivem pessoas à margem, cujos mais elementares direitos não são reconhecidos. Uma pessoa pode ser "insignificante" por diversas razões: econômicas, claro, mas também pela cor da pele, porque é mulher, porque pertence a uma cultura que a cultura dominante considera inferior, por motivos étnicos, pode ser discriminada por diversos motivos. A noção bíblica do pobre considera essa complexidade, e dela se aproximam, lentamente, recentes informes sobre a pobreza no mundo.

A pobreza é, além disso, uma condição que tem causas humanas: estruturas sociais e categorias mentais. A solidariedade com os pobres não se limita, por necessária que seja, à ajuda direta e imediata ao pobre; ela deve manifestar-se também no compromisso de eliminar as causas da pobreza. Essa perspectiva entrou lentamente no magistério social da Igreja Católica, mas há algumas décadas está claramente nele.

Em última instância, a pobreza real significa morte prematura e injusta. Até aí terá de captar sua imensa gravidade e o desafio que ela apresenta à dignidade humana de toda pessoa e à sua condição de filha ou filho de Deus. Romero denunciou essa situação – que Medellín e Povoa chamaram "desumana" e "antievangélica" –, e isso lhe valeu que o acusassem de favorecer o conflito social inerente a essa realidade. Mas é claro que a solidariedade com os pobres implica o rechaço da condição em que vivem e de suas causas.

Como as memórias e as linguagens, já vistas, a pobreza espiritual e o compromisso com a pobreza real no sentido recordado estão em estreita relação e, como nos casos vistos anteriormente, não podem se separar. Da pobreza espiritual, condição do discípulo que põe sua vida a *serviço* do Reino e busca fazer a vontade Deus, nasce, obrigatoriamente, a atitude de desprendimento ou liberdade diante dos bens terrenos, pondo o coração no tesouro que constitui a mensagem evangélica (cf. Mt 6, 21). E mais, ela leva a "fazer-se pobres", dizia Romero, "interessar-se pela pobreza de nosso povo como se fosse nossa própria família" (Homilia, 15 jul. 1979).

A opção preferencial pelo pobre é um estilo de vida. Medellín precisou o sentido e o alcance da pobreza voluntária: "A pobreza, como compromisso, assume-se voluntariamente e por amor à condição dos necessitados deste mundo [...] e para testemunhar o mal que ela representa e a liberdade espiritual diante dos bens" (*Pobreza na Igreja*, n. 4). Não é, evidentemente, o amor à pobreza, em situação desumana, mas o amor ao pobre que leva o seguidor de Jesus à pobreza voluntária. Assim como Cristo, segundo Paulo, assume os pecados da humanidade por amor ao pecador, não ao pecado. É solidariedade com o pobre e rechaço da pobreza como condição contrária à vontade do Deus amor. A Bíblia nunca declara a pobreza uma bênção; os pobres, estes sim, são bentos (cf. Lc 6, 20), porque o reinado de Deus, anunciado por Jesus, chama a sua liberação integral.

Pobreza espiritual e pobreza voluntária se unem na expressão "opção preferencial pelo pobre". A palavra "preferencial" tem, como uma de suas fontes próximas, a frase de João XXIII: "A Igreja de todos e particularmente dos pobres." "Preferencial" quer recordar que Deus ama todas as pessoas, mas em seu primeiro amor estão os esquecidos e oprimidos, os pobres. Universalidade e preferência estão presentes na mensagem cristã. A expressão "opção preferencial" é nova, mas o conteúdo é muito antigo; basta abrir a Bíblia para encontrá-lo. Karl Barth, constante leitor da Escritura, dizia com firmeza: "Deus sempre toma partido pelo pobre e contra o rico."

Se for preferencial, não é, por definição, exclusiva. Preferência e universalidade estão em tensão, não em contradição. Tampouco oração e ação se contradizem, mas se acham em tensão. A opção preferencial diz que "os pobres são os primeiros". Pode-se dizer também "prioritário", "privilegiado". São expressões similares. O que importa é não perder de vista nem a universalidade do amor de Deus nem que os mais débeis e insignificantes são os primeiros. Viver essas duas pobrezas supõe uma conversão. De "conversão e esperança" tratamos neste Congresso. O texto de Povoa sobre "opção preferencial pelo pobre" menciona a palavra "conversão" seis vezes. Cada cristão e a Igreja inteira devem converter-se.

Antes de passar à conclusão, uma frase de monsenhor Romero: "É inconcebível que alguém se diga cristão e não tome, como Cristo, uma opção preferencial pelos pobres" (Homilia, 9 set. 1979). Sem dúvida, seu próprio testemunho é uma poderosa razão para que a Conferência de Aparecida diga que "a opção preferencial pelo pobre é *um* dos rasgos que marcam a fisionomia da Igreja latino-americana e caribenha" (n. 391).

4. Conclusão

Uma Igreja dos pobres é uma Igreja que faz sua a *prática* de Jesus, que faz memória Dele na Eucaristia e no *serviço*, que a comunica pelas linguagens da gratuidade e da justiça, profética e mística, e que vive a pobreza espiritual e o compromisso com o pobre. Essas são condições fundamentais para que seja autêntico o testemunho que damos do anúncio do Reino.

Romero viveu um cruel momento de seu país: "Me toca ir recolhendo cadáveres" (Homilia, 19 jun. 1977), dizia. Contudo, em que pese isso, foi uma testemunha da esperança. Afirmava ele com firmeza: "Consta-lhes qual é a linguagem de minha pregação, uma linguagem que quer semear esperança, que denuncia, sim, as injustiças da Terra, os abusos do poder, não com ódio, mas com amor, chamando à conversão" (Homilia, 6 nov. 1977). Uma pregação fiel ao Evangelho sempre chama à conversão.

A esperança é um dom, mas não há graça que não implique uma tarefa; ela não nos é dada para reservá-la para nós, por isso deve ser comunicada. A esperança não é criar ilusões, não se transmite com uma simples palmada no ombro. Tampouco é aguardar passivamente. A teologia é uma hermenêutica da esperança; é escrutinar a história à luz da fé e vislumbrar os caminhos possíveis para construir um mundo fraterno e justo que responda aos valores do Reino. Os motivos de esperança podem ser iniciais e débeis, mas não se deve "apagar a mecha fumegante, nem quebrar o caniço rachado" (Is 42, 3). Atento à situação de seu povo, Romero se empenhou em levantar a esperança dos mais pobres e desamparados.

Que o testemunho de Romero nos interpele supõe que não o vejamos como tendo vivido um tempo excepcional que "já passou". O excepcional nele é a maneira como o confrontou, com uma coerência evangélica que segue nos desafiando. Não coloquemos Romero em uma espécie de bolha que o neutralize e o tire da história. Por acaso a marginalização, os maus-tratos aos pobres e insignificantes por razões econômicas, culturais, de gênero, raciais, a violação de seus direitos mais elementares terminaram? Será preciso, claro está, enfrentá-los dentro das circunstâncias atuais, mas para isso a atenção aos fatos históricos e ao Evangelho que motivaram Romero em seu momento segue sendo uma pauta de comportamento em nossos dias.

Como a Cristo, a monsenhor Romero não se terá de buscar entre os mortos, mas entre os vivos. Um formoso caderno sobre monsenhor, feito por um amigo que trabalhou muito os textos de Romero, traz na última página uma foto dele com uma legenda: "Está vivo." Assim é. Está vivo.

A fé: outro olhar para ler a história. Monsenhor Romero: uma chave de leitura testemunhal

Maria Clara Bingemer*

Chegará inevitavelmente o tempo da Páscoa. Aparentemente os cárceres, os martelos, os pregos (e as balas) sempre parecem destroçar tudo, mas na realidade sempre chegam tarde, pois já a palavra está semeada em muitos ventres generosos e fecundos. O profeta extirpado não teve êxito, mas foi fecundo no ventre da história onde se gesta sem recesso a novidade do projeto de Deus.

Benjamim González Buelta SJ

Há pessoas bem-sucedidas e há pessoas que dão fruto, fecundas. Há pessoas que marcam a história ganhando muitíssimo dinheiro, ascendendo a postos importantes e honoríficos. E há pessoas que a marcam semeando justiça, verdade e solidariedade. Estas últimas podem não ter tanto êxito visível, podem inclusive terminar sua vida em aparente fracasso, mas seu fruto falará por elas quando as forças do ódio, da opressão e da injustiça as houverem silenciado.

Assim ocorreu com Jesus de Nazaré. Assim ocorreu, e assim ocorre, com monsenhor Oscar Romero, cujo 30^0 aniversário de martírio celebramos agora. A encíclica *Evangelii Nuntiandi* diz muito acertadamente que o homem de hoje já não escuta os mestres, mas, sim, as testemunhas. E se escuta os mestres é porque são testemunhas. Monsenhor Romero foi, no nosso entender, mestre e testemunha.

---

* Pontifícia Universidade Católica do Rio de Janeiro.

Pastor do povo de Deus na Igreja de El Salvador, ensinava com a palavra e com o exemplo. Testemunha de Jesus Cristo, foi coerente com o que entendia que lhe pedia o Evangelho que professava e com o Deus em quem acreditava até dar sua vida. Teve a oportunidade de frequentar os salões dos capitalistas e dialogar com eles para procurar soluções de reconciliação nas situações de tremenda violência e injustiça em que vivia seu país. Mas preferiu, decidida e claramente, ficar do lado das vítimas – os pobres e perseguidos de muitas formas – e ter a mesma sorte que elas e eles.

Há 30 anos foi assassinado enquanto celebrava a Eucaristia, mas suas palavras estão vivas em nós e em todos aqueles que, hoje como ontem, lutam por um mundo mais humano e mais conforme ao coração de Deus.

Nesta exposição, tentaremos refletir sobre a síntese de fé e história que nos parece ser a dobradiça central do dinamismo interior e do processo vivido por monsenhor Romero nos últimos anos de sua vida. Procuraremos, primeiro, assentar os marcos teológicos sobre a maneira como a história desafia a fé cristã sempre, uma vez que o Deus da revelação se manifesta e diz seu nome em situações muito concretas de tempo e espaço, em meio a conflitos e realidades imprevisíveis.

Trataremos, depois, de situar monsenhor Romero dentro desse dinamismo histórico. Nossa intenção será ver como sua "segunda conversão", sendo já arcebispo nomeado, foi produzida pelos desafios que a realidade histórica lhe punha diante dos olhos e que ele tentava ler com um olhar iluminado pela fé. Aparece aí não apenas a transformação de seu olhar sobre a realidade da injustiça social--econômico-política de seu país, mas também de seu olhar dirigido ao interior da Igreja e à maneira de concebê-la.

Isso nos levará a nosso terceiro ponto, que será refletir sobre monsenhor Romero como mártir de Jesus Cristo. Nosso intento aqui será ver como a vida e a morte de monsenhor Romero, em perfeita coerência e conexão uma com a outra, remetem a impressionante semelhança com a paixão do Jesus de Nazaré e à maneira como o profeta Galileu viveu e assumiu seu destino. E mostraremos como o martírio do bispo salvadorenho foi semente fecunda não só para sua Igreja particular, mas para muitas outras comunidades e pessoas ao redor do mundo.

Finalmente nos deteremos no Deus que estava no centro da fé de monsenhor Romero. O Deus que era o sujeito e o objeto de sua fé, Aquele a quem se dirigiam seus pensamentos, suas ações, seu amor, suas decisões. Tentaremos ver como para ele esse Deus era inseparável da história e de suas vicissitudes, e sobretudo inseparável do povo a quem servia como povo de Deus.

Esperamos que o itinerário desta reflexão teológica possa nos levar a algumas conclusões sobre o legado de monsenhor Romero 30 anos depois de seu martírio, a fim de que as comunidades possam continuar bebendo dessa fonte fecunda que são sua figura, sua vida e sua morte. Oxalá nestes nebulosos e difíceis tempos pós-modernos em que vivemos, parcos em utopias, possamos encontrar renovado ardor, contemplando o testemunho de fé desse pastor totalmente entregue a Deus e a seu povo.

1. O desafio da historicidade

O ser humano é um ser histórico, além de relacional, intersubjetivo, dialogal. A história, entretanto, é sempre história de uma comunidade – de um povo –, mais que de um ou mais indivíduos. É o conjunto do acontecer universal como determinação e obra do ser humano.

Mas como pode a palavra humana falar de Deus dentro da história? Como relacionar Deus e a história, se Deus transcende a história? Não é Deus o motor imóvel, atemporal, intemporal? E a história não é o terreno do provisório, do contingente, da caducidade? Mais ainda, não é a história o terreno do conflito, da luta, da ambiguidade? Como pode Deus, que é Verdade absoluta e transparente, revelar-Se em meio às sombras e dores do tempo e do espaço?

Embora a revelação também se dê pela natureza, pela criação, pelo mundo visto e contemplado que nos eleva em sua beleza, revelando a presença do artista que o concebeu, a história, unida à criação, é um espaço no qual o povo de Israel e a primeira comunidade cristã perceberam de forma privilegiada a presença e a ação de Deus.

Para o cristão, portanto, é fundamental a convicção de que Deus – além de revelar-Se na criação e de poder ser encontrado a partir e através da natureza – também Se revelou e Se revela na história. Não terá de sair da história para ouvi-Lo, encontrá-Lo e receber Sua revelação. Mas é na história mesma, nessa história concreta, o lugar no qual poderemos ouvir Sua Palavra e captar o que ela quer dizer. A revelação cristã, portanto, além de ser uma revelação cósmica (que se dá a conhecer no mundo, na criação, na natureza), é uma revelação histórica.

O fato de um Deus que se comunica a homens e mulheres, falando com eles e elas em meio à história, é central na visão cristã. Por isso o povo de Israel foi percebendo que as coisas que ocorriam em sua história de cativeiro e libertação, em sua luta por encontrar assentamento em uma terra, em sua necessidade de organização política etc. não eram acontecimentos separados e distantes entre si, tampouco coisas que só diziam algo sobre o imediato de cada momento. Levavam em si um sentido maior que era necessário escutar com muita atenção, porque ali estava, em pessoa, o mesmo Deus.

Experimentando a comunicação de Deus e ouvindo Sua Palavra em meio aos acontecimentos históricos e interpretando essa experiência, o povo foi configurando o projeto histórico e salvador que Deus desejava. E entendeu o que depois se escreveu sobre a revelação de Deus a Moisés, o que desembocou na libertação do cativeiro do Egito e na caminhada para a terra da libertação. Deus Se revela falando com Moisés daquilo que vê na história do povo e daquilo que pretende fazer nessa mesma história, em favor desse povo que tanto ama:

> Vi a opressão de meu povo no Egito, escutei suas queixas contra os opressores, fixei-me em seus sofrimentos. E desci para libertá-los dos egípcios, tirá-los desta terra a fim de levá-los a uma terra fértil e espaçosa, terra que emana leite e mel... A queixa dos israelitas chegou a mim, e vi como os tiranizam os egípcios. (Ex 3, 5-9)

Por isso também o povo de Israel, longe já do cativeiro do Egito e assentando-se na terra de promissão, para não esquecê-la, repetia todos os dias a revelação desse Deus que se mostrou tão poderosamente em sua história:

> Meu pai era um aramaico errante; baixou ao Egito e residiu ali com uns poucos homens; ali se fez um povo grande, forte e numeroso. Os egípcios nos maltrataram e nos humilharam, e nos impuseram dura escravidão. Gritamos ao Senhor, Deus de nossos pais, e o Senhor escutou nossa voz; viu nossa miséria, nossos trabalhos, nossa opressão. O Senhor nos tirou do Egito com mão forte, com braço estendido, com terríveis portentos, com signos e prodígios. Trouxe-nos para este lugar e nos deu esta terra, uma terra que emana leite e mel. (Dt 26, 5-9)

A experiência que tem esse povo segundo a Bíblia é paradigmática para nós. E certos acontecimentos, claramente históricos na história do povo de Israel, apontam além de si mesmos a uma disposição e uma providência divinas. E por isso devem ser narrados, contados, repetidos, uma vez e outra vez, sempre, para que o povo crie o seu relato e o transmita às gerações futuras.

Do mesmo modo, no Novo Testamento a presença e a revelação de Deus paradoxalmente se deixam verificar na impotência e no fracasso da cruz, acontecimento histórico que situa o cristianismo nascente, tendo de encontrar sua identidade em um homem que nasceu, viveu, sofreu e morreu violentamente em um determinado período da história humana. O sofrimento e a morte não são fronteira para Deus. E a comunidade cristã primitiva o compreendeu porque, quando teve a experiência de sua ressurreição, escutou o que Deus dizia através da morte de Jesus. A partir dela, releu a história e compreendeu que se encontrava ante um acontecimento não meramente linear e cronológico, mas ante algo que fazia girar a história sobre suas dobradiças. Começava uma nova era, em que era necessário anunciar a Boa Notícia e construir o Reino a fim de que a proposta de Jesus pudesse expandir-se pelo mundo e não ficasse sufocada por instituições que não lhe eram adequadas. O cristianismo está, pois, baseado no anúncio do Reino de Deus por Jesus, feito acontecido na história, e pelo anúncio de Jesus Cristo reconhecido pessoalmente como Palavra viva de Deus, pronunciada sobre a história.

Entretanto, não podemos dispor da totalidade da história. Assumimos a totalidade só sob forma de antecipação, expectativa e ação inspirada por ela. A história não transcorre segundo as leis da necessidade. Está feita pelo ser humano e está condicionada pela liberdade humana.

Mas que sentido tem afirmar que Deus preside a história e, na verdade, perceber nessa história os mesmos condicionamentos, parcialidades e provisoriedades que nossa limitação introduz nela? Se tudo fosse absurdo, também o seria nossa própria existência, e não poderíamos viver nem um instante mais. O sentido não é sozinho a meta do fazer humano, mas também seu fundamento e pressuposto. Experimentamos fragmentariamente o sentido que nos remete ao Sentido – logo que vemos alguns signos e sinais que marcam a história e nos remetem ao passo de Deus, Senhor dela, que nos abre o caminho.

Afirmar um sentido presente na história é afirmar que se comprometer na história, lutar pela justiça, a paz e a liberdade é coerente, justo e necessário. Esperando e confiando sempre, pois Deus não é sozinho, o Deus que falou com um povo no passado, e igualmente o Deus que fala hoje, na vida e na morte dos homens e mulheres que vivem, sofrem e se alegram a nosso lado. E é igualmente o Deus que vem, que vai diante de nós nos abrindo o futuro.

A fé cristã, portanto, tem como elementos uma Escritura sempre a decifrar e interpretar; uma palavra sempre a ser escutada e retransmitida a interlocutores, sempre outros e novos, de um acontecimento historicamente situado que não cessa de reatualizar-se em nossa história, do horizonte do final dos tempos; uma tarefa ética de humanização a ser levada adiante na secularidade da história com todas as pessoas de boa vontade. Assim é a fé cristã, que é fé na revelação de Deus, escapa à fascinação do sagrado em que nascem outras religiões e transcende os ritos e observâncias em que aquelas procuram seu exercício e sua culminação.

Aí está um caminho importante para a fé cristã no mundo contemporâneo: recuperar a narrativa de Deus que gera a fé. E também, e não menos, recuperar a narrativa das testemunhas que teceram essa história com sua experiência, com seu compromisso, com seu testemunho, com seu sangue. E isso somente se dá pensando essa fé como acontecimento, como experiência que se dá em meio à história. Como olhar, como perspectiva para ler e interpretar essa história. Como chave de leitura que permite compreender a história do olhar de Deus.

Monsenhor Oscar Arnulfo Romero é uma dessas testemunhas. Uma dessas pessoas que são marcos luminosos, luzes dentro do tempo, e que se convertem em chave de leitura para permitir a nós, cristãos do século XXI, ler e interpretar essa história na qual estamos imersos e na qual somos chamados, também hoje, 30 anos depois de sua morte, a dar razão de nossa esperança e a dar testemunho de nossa fé.

2. Romero, uma testemunha da fé dentro da história

Como homem de seu tempo, monsenhor Romero estava configurado pela formação que tinha recebido. Uma formação que foi dada por uma Igreja pré-conciliar, em que a vivência da fé e a prática da religião eram concebidas um tanto desvinculadas da vida real e cotidiana das pessoas. Homem de fé, de oração, pastor dedicado a suas ovelhas, assim tinha vivido durante seus anos de seminarista e sacerdote, e seus primeiros anos de bispo. Cumpria fielmente as exigências de sua condição e de sua vocação, mas não estava tão atento à realidade histórica como *locus* privilegiado e fonte primitiva de que bebia, lia, interpretava e vivia sua fé cristã.

O caminho de monsenhor Romero, nesse como em outros aspectos, é extremamente coerente com o caminho cristão em seus dois mil anos de história. A fé cristã foi desde seus começos uma fé apoiada no testemunho de outros. Os discípulos acreditaram em Jesus, no qual reconheceram e o qual proclamaram Testemunha Fiel. As mulheres acreditaram que a tumba não era o lugar daquele que estava vivo, e disso deram testemunho. Os apóstolos – depois de certa resistência – acreditaram nas mulheres. E assim começou o caminho dessa proposta de vida que foi conquistando o mundo conhecido de então. Sua fonte estava na palavra de alguns fracos seres humanos que diziam: "Isso é verdade porque eu vi, eu experimentei. Dou testemunho e sou capaz de morrer por isso."

A fé cristã, desde seus inícios, é, portanto, uma fé de testemunhas e nem tanto de textos. Cada vez se torna mais verdadeira e verificável a afirmação de que há que se fazer uma teologia nem tanto de textos, mas, sim, de testemunhas. Apelando aos testemunhos de homens e mulheres que foram alcançados por Deus em meio à história, faz-se mais evidente a diferença entre fé e religião, fé e instituição. A fé é um caminho vital, uma experiência existencial e inalienavelmente humana. A fé dá sentido à vida. A religião é o suporte doutrinal e moral, a expressão ritual e cultural da fé. Está influenciada e configurada por uma cultura, uma situação, uma tradição. Algumas de suas expressões podem e devem ser relativizadas. Quando aprendemos a distinguir o que constitui a identidade mais profunda dos homens e mulheres de fé – o que somos chamados a ser, assim como a ajudar outros a sê-lo – nessa confusa e difusa contemporaneidade em que vivemos, aprendemos a distinguir melhor fé e religião e a dar a cada uma seu devido lugar e sua devida importância. Nossos contemporâneos, com sua visão crítica, suas interpelações muitas vezes desconcertantes, sua incredulidade ou sua religiosidade distinta da nossa, convertem-se em bons interlocutores para nós. Eles e elas nos mostram que a fé cristã ainda tem hoje um papel a desempenhar, contanto que não perca sua identidade em meio aos tempos nebulosos em que vivemos. Para resgatar essa identidade, os textos são necessários, mas às vezes podem não comunicar tudo o que seria preciso comunicar, seja porque são de outra época, seja porque a linguagem é inadequada, seja porque a cultura da imagem já exige outras formas de comunicação. Em troca, o testemunho segue sendo eloquente, sempre verdadeiro, sempre transparente, sempre impactante. As testemunhas seguem sendo os melhores teóricos da fé que professamos e que desejamos comunicar tanto hoje como ontem. Nesse sentido, seguem sendo os teólogos primitivos.

Monsenhor Oscar Arnulfo Romero é uma dessas testemunhas. Seu testemunho de vida e sua morte iluminaram, e seguem iluminando, o caminho e a vida de várias gerações. Seguem assinalando que seguir Jesus de Nazaré não se faz para acalmar nossas ansiedades e angústias e nos permitir dormir tranquilos, mas, sim, é uma proposta que deve nos levar ao coração da realidade tal como é e nos pôr no epicentro dos conflitos da história, ao lado das vítimas, tomando partido e levantando a voz em defesa da vida. Essa atitude – que foi a dos profetas e a de Jesus – é arriscada e pode exigir que nos mantenhamos nela, não só falando ou denunciando, mas dando a vida por aquilo em que acreditamos e sobre o que falamos.

Como sacerdote, Oscar Arnulfo Romero foi de corte tradicional. Exercia sua pastoral mais no interior da Igreja, celebrando missas, repartindo sacramentos, organizando sua diocese. Graças a seu perfil sereno e não conflitivo, foi designado pelo Vaticano para ser bispo, porque não convinha naquele momento alguém mais destacado e conflitivo, que defendesse a causa dos pobres e dos oprimidos, num momento em que, depois da Conferência de Medellín, em 1968, e preparando a Conferência de Povoa, em 1979, a Igreja da América Latina via crescer em seu seio a Teologia da Libertação. Essa teologia, que punha os pobres no centro de seu discurso e de suas preocupações, considerava inseparáveis o anúncio da fé e a prática da justiça.

É curioso que a segunda conversão de monsenhor Romero, conversão à causa dos pobres e dos explorados, que eram a maioria em El Salvador, tenha ocorrido depois de sua nomeação para as funções de arcebispo. Olhando mais de perto essa conversão, vemos que é perfeitamente coerente com o itinerário de um homem honrado e bom, cujo coração se mantinha aberto à missão recebida e à vocação sentida em seu coração. E sobretudo aberto ao Deus em quem acreditava e ao qual tinha consagrado toda sua vida, assim como ao povo ao qual prometera servir como pastor. A partir de sua posição de bispo, de autoridade eclesiástica, pôde sentir de maneira distinta a miséria de seu povo e a violência dos capitalistas, que – como em muitos países do continente – matavam ou faziam desaparecer líderes, camponeses, sacerdotes, agentes de pastoral e todos os que fizessem ouvir suas vozes em defesa do povo oprimido.

A presença das testemunhas na história normalmente ocorre em cadeia. Assim foi que a testemunha fiel Jesus de Nazaré, com seu testemunho e sua Páscoa, suscitou os testemunhos de seus discípulos e de seus apóstolos, que, experimentando sua ressurreição, superaram o medo e passaram a anunciar aos quatro ventos que aquele que tinha sido morto pela teocracia do sinédrio e pela *pax romana* tinha sido ressuscitado e constituído Senhor e Cristo por seu Deus e Pai. Por sua vez, o testemunho dos primeiros cristãos, perseguidos pelo Império Romano durante quatro largos séculos, escondidos em catacumbas e acusados de ateus e idólatras, em lugar de fazer desaparecer a perigosa seita, a fez crescer e estender-se pelo mundo, indo aos gentis e ganhando novos adeptos.

O mesmo ocorreu com monsenhor Romero. Foi "convertido" aos pobres e à sua causa, a causa da justiça e da verdade, por outra testemunha: o jesuíta padre Rutilio Grande. O padre Rutilio fez fortes denúncias contra a situação de pobreza do povo, a insensibilidade das elites e a violência do governo. Em uma homilia na Apopa, em 13 de fevereiro de 1977 (30 dias antes de ser assassinado), disse: "A Eucaristia que estamos celebrando hoje alimenta este nosso ideal de uma mesa comum para todos, com um lugar para cada um e Cristo no meio." Em 12 de março seguinte, quando se dirigia para sua terra natal com outros cristãos para preparar uma festa religiosa, foi assassinado por militares com uma rajada de metralhadora. Dom Oscar Romero disse que o exemplo de padre Rutilio e sua morte o convenceram a ficar apaixonadamente do lado dos pobres e dos oprimidos de El Salvador.

Depois da morte de Rutilio, Romero começou a denunciar frontalmente os poderes, governantes, militares e ricos, responsabilizando-os por todos os males que ocorriam no país. O testemunho do Rutilio modificou seu modo de olhar a história. Romero seguia sendo o mesmo homem, cheio de bondade, com um coração grande e sensível, mas já não via a história como um processo linear ascendente que se dirige para uma perfeição inevitável. Olhava-a com mais realismo, como realidade transida de iniquidade e que devia ser transformada. E compreendeu que as injustiças, com a graça da fé que via na história, deviam ser denunciadas e combatidas.

Romero não se calou ante as violências da guerrilha revolucionária e muito menos ante as perpetradas pelos poderes oficiais. Entendeu que sua missão de pastor – que naquele momento histórico, difícil e doloroso que vivia seu país e seu povo entendia como missão de toda a Igreja – era levantar a voz e expor-se, colocando-se claramente do lado dos mais débeis e oprimidos. Por isso a expressão mais vigorosa de sua ação e de sua luta em favor da justiça e da paz, em defesa dos direitos humanos, será encontrada em suas homilias dominicais, nas quais analisa a realidade da semana à luz do Evangelho. Transmitidas pela rádio católica, eram escutadas em todos os rincões do país, dando esperança ao povo e suscitando a cólera dos capitalistas.

O novo olhar do bom pastor monsenhor Romero também configurou seu modelo de Igreja. Até então olhava a Igreja segundo a visão mais tradicional, ancorada no eixo da contraposição entre clero e religiosos *versus* laicato. Nesse modelo tradicional, que imperava antes do Concílio Vaticano II, a Igreja se dividia em duas: Igreja docente e Igreja discente, a que ensinava e a que aprendia, a que produzia os bens simbólicos e a que os consumia, a que mandava e a que obedecia.

Monsenhor sempre foi um homem de grande bondade. Mas, a partir de determinado momento, a mesma realidade o interpelou e ele chegou a ser um homem de boa notícia, de compaixão e justiça para os pobres e vítimas como Jesus. Como diz alguém que o conheceu de perto e muito bem, o padre Jon Sobrino:

> Monsenhor Romero de fato amou seu povo e ninguém recorda alguém que o tenha amado mais que ele. Isso é o que punha em palavras todos os domingos. Mas sua palavra foi também uma palavra lúcida. Sem ser teólogo profissional, pensou as coisas a fundo. E foi uma palavra pastoral e criativa, pronunciada na história concreta para rechaçar caminhos concretos do mal e animar e percorrer caminhos concretos do bem. Foi, portanto, de maneira exímia, "professor e pedagogo".

O mesmo Jon Sobrino, na apresentação das *Cartas pastorais de monsenhor Romero*, diz que "a temática fundamental de seu magistério foi, em síntese, a seguinte: a Igreja e sua relação salvadora com o povo, tomando absolutamente a sério a realidade histórica daqueles anos".

Basta ler as homilias de monsenhor Romero depois de 1977 para captar que sua visão de Igreja passa a ser inclusiva. Todos são Igreja, todos são responsáveis por levar adiante o seguimento e o testemunho do Jesus. E ele, em meio a essa Igreja, não é uma autoridade para mandar, ser obedecido, ditar ordens, mas para servir, estar com seu povo, compartilhar com seu povo essa autoridade que vem somente de Deus e de Seu Santo Espírito.

É impressionante ver como nenhum setor eclesiástico fica fora do zelo pastoral do bispo: laicos, catequistas, mulheres. Todos são chamados, convocados a ser, na história e no mundo, esse sinal poderoso e fiel do Evangelho, não falsificando a Palavra, mas assumindo-a com valor e assumindo suas consequências até o final. Impressionam-me especialmente algumas de suas palavras, que vou citar não sem emoção, as que pronuncia pouco depois do assassinato do padre Rutilio, ele mesmo emocionado, sobre a importância do papel das mães cristãs:

> Eu quero dizer a todos vocês, irmãos, radiouvintes, presentes na catedral, que, mesmo que nos calassem todos os meios de comunicação social, sempre ficaria um grande microfone no mundo: a mãe cristã [...]. A mãe é como o sacramento do amor de Deus. Dizem os árabes que Deus, como não o podemos ver, fez a mãe que podemos ver, e nela vemos Deus, vemos o amor, vemos a ternura [...]. Quanto poderia o influxo da mãe, da esposa, no homem político, no homem de governo, no capitalista, no empresário! Humanizar-se-iam as relações humanas, se as mães influíssem mais no coração dos homens... (8 maio 1977)

As que pronuncia em 1979, quando já os mortos em El Salvador se haviam multiplicado exponencialmente – entre eles muitas mulheres – e quando as ameaças contra sua vida se fazem mais concretas e terríveis:

> Que cada cristão, que cada membro desta Igreja, que todos, igual a Maria, como ela, saibamos enxugar lágrimas e consolar tristezas; mas, como ela também, valente em sua profissão profética, saibamos desmascarar o mal e reclamar contra as injustiças, porque a redenção dos homens, segundo o cântico mesmo da Virgem, está ligada à justiça que os homens façam na Terra e ao respeito com que aqui coletemos a verdade de Deus. (15 jul. 1979)

Também a partir do exemplo de Maria, monsenhor Romero anima todos os batizados a se considerarem membros plenos do Povo de Deus e a assumir plenamente os desafios da história, a entrar em conflitos, assumindo as consequências de seu batismo, vivendo plenamente o seguimento de Jesus e tomando sobre si o peso do anúncio de seu Evangelho:

> Maria, pois, tanto para vocês, povo de Deus... é uma laica. Maria não é sacerdote nem religiosa, Maria é uma esposa, Maria é uma mãe de família, Maria é uma mulher secular. Ali estivesse, sentada nos bancos da catedral, como uma destas mulheres que me escutam, e eu não a distinguiria. Mas seu coração, cheio desse carisma profético, absorveria as palavras do grande Profeta, Jesus Cristo, seu Filho, para realizá--las com o amor, com a fé, a caridade, com a valentia e a integridade com que um secular tem que ser profeta também no ambiente em que lhe toca viver. (20 jul. 1979)

De igual modo considerava o laico responsável pela construção da Igreja e do projeto de Deus, o Reino, em igualdade de condições,

A fé: outro olhar para ler a história 〜 71

embora com um carisma diferente daquele que têm o sacerdote e o bispo. Assim o disse nesta bela homilia do ano de 1977:

> Que formoso será o dia em que cada batizado compreenderá que sua profissão, seu trabalho, é um trabalho sacerdotal. Que assim como eu vou celebrar a missa neste altar, cada carpinteiro celebrará sua missa em seu banco da carpintaria, cada funileiro, cada profissional, cada médico com seu bisturi, a senhora do mercado em seu posto estão fazendo um ofício sacerdotal. Quantos motoristas sei que escutam esta palavra lá em seus táxis; pois você, querido motorista, junto a seu volante, é um sacerdote se trabalha com honradez, consagrando a Deus esse seu táxi, levando uma mensagem de paz e de amor a seus clientes que vão em seu carro. (20 nov. 1977)

Mas, assim como chamava todos à plena responsabilidade eclesiástica, denunciava a acomodação e a alienação de muitos em relação à responsabilidade eclesiástica e histórica:

> Uma religião de missa dominical, mas de semanas injustas, não gosta do Senhor. Uma religião de muita reza, mas com hipocrisias no coração, não é cristã. Uma Igreja que se instalasse só para estar bem, para ter muito dinheiro, muita comodidade, mas se esquecesse da reclamação das injustiças, não seria a verdadeira Igreja de nosso divino Redentor. (4 dez. 1977)

Monsenhor Romero, fiel à sua leitura da história do olhar da fé iluminada pelo Evangelho do Jesus, sabia também, e inseparavelmente, que assumir essa visão e essa vivência de Igreja leva consigo sérias consequências. A mais séria, a mais dolorosa, mas também a mais luminosa e consoladora, é a perseguição.

Já nos começos do cristianismo os discípulos compreenderam, segundo os ensinamentos do professor, que seriam perseguidos se permanecessem fiéis em seu proceder e em seu testemunho. O mundo os odiaria como havia odiado Jesus e os perseguiria implacavelmente. Pelo contrário, se eram aplaudidos e elogiados pelos capitalistas da sociedade, deveriam desconfiar de seu cristianismo. Seria sinal de que seu testemunho era débil e não seguia fielmente os passados do Professor e Senhor, a quem deviam aspirar a assemelhar-se. Assim entendeu monsenhor Romero a corrente de ameaças, perseguições e sofrimentos que caiu sobre ele e a Igreja salvadorenha que o acompanhava e o apoiava, e procurou respirá-la com sua palavra e seu carinho de pastor.

> Mesmo que nos chamem loucos, quando nos chamarem subversivos, comunistas e todos os qualificativos que nos dizem, sabemos que não fazemos mais que pregar o testemunho "subversivo" das bem-aventuranças, que deram volta a tudo para proclamar bem-aventurados os pobres, bem-aventurados os sedentos de justiça, bem-aventurados os que sofrem. (11 maio 1978)

> Muitos quereriam que o pobre dissesse que é pobre porque ser pobre "é vontade de Deus". Não é vontade de Deus que alguns tenham tudo e outros não tenham nada. Uma ideia assim não pode ser de Deus. De Deus é a vontade de que todos os Seus filhos sejam felizes. (10 set. 1978)

Assim também a Igreja, se seguir seriamente seu Senhor, não pode ser aclamada por todos. A perseguição real e a disposição de sofrê-la é, e sempre foi, a "verificação mais clara do seguimento de Jesus". E monsenhor Romero sabe: "Uma Igreja que não sofre perseguições, e que está desfrutando dos privilégios e do apoio da burguesia, não é a verdadeira Igreja de Jesus Cristo" (11 mar. 1979).

> Não é um privilégio para a Igreja estar de bem com os capitalistas. O privilégio da Igreja é este: sentir que os pobres a sentem como sua, sentir que a Igreja vive uma dimensão na Terra, chamando todos,

também os ricos, à conversão e à salvação da ótica dos pobres, porque eles são unicamente os bem-aventurados. (17 fev. 1980)

Uma Igreja que inclui todos e que toma seu lugar decididamente ao lado dos pobres, compartilhando seu destino ameaçado, necessariamente molesta e ameaça, e, portanto, tem de ser neutralizada. Se essa Igreja tem à sua frente, apoiando-a e guiando-a, seu bispo, este é o mais vigiado e o que deve ser mais ameaçado pelas forças repressivas. Servirá de exemplo a outros.

3. Romero, mártir de Jesus Cristo, testemunha da justiça e da verdade

Depois dessas denúncias contra o poder político-econômico que se tinha por dono de El Salvador, os dias do pastor estavam contados. Ele sabia, e o dizia claramente. É conhecido o sem-número de vezes que anunciou sua morte próxima. Recorda-nos os anúncios da paixão feitos por Jesus do Nazaré e que recolhem os Evangelhos. Com muita clareza, na homilia de 8 de julho de 1979, afirmou:

> Se cortarem a rádio, se nos fecharem o jornal, se não nos deixarem falar, se matarem todos os sacerdotes e até o arcebispo, e ficar um povo sem sacerdotes, cada um de vocês deve converter-se em microfone de Deus, cada um de vocês deve ser um mensageiro, um profeta.

Durante um retiro de quatro dias com um grupo de sacerdotes do vicariato de Chalatenango, anotou em seu jornal espiritual estas linhas, nas quais relata seu temor a uma morte violenta e a resposta de seu confessor, o padre Azcue:

> Outro meu temor é a propósito dos riscos de minha vida. Custa--me aceitar uma morte violenta, que nestas circunstâncias é abso-

lutamente possível. O pai me deu ânimo, dizendo-me que minha disposição deve ser a de dar minha vida por Deus, qualquer que seja meu fim. As circunstâncias desconhecidas devo vivê-las com a graça de Deus, que assistiu aos mártires e, se for necessário, senti-la-ei próxima a mim quando der o último suspiro. Entretanto, mais importante que o momento de morrer é oferecer a Deus toda a minha vida, viver por Ele.

Duas semanas antes de sua morte, em uma entrevista ao jornal *Excelsior*, do México, disse:

Fui frequentemente ameaçado de morte. Devo lhe dizer que, como cristão, não acredito na morte sem ressurreição: se me matarem, ressuscitarei no povo salvadorenho. Digo-o sem nenhuma jactância, com a maior humildade. Como pastor, estou obrigado, por mandato divino, a dar a vida por aqueles que amo, que são todos os salvadorenhos, até por aqueles que vão assassinar-me. Se chegarem a cumprir as ameaças, a partir de agora ofereço a Deus meu sangue pela redenção e ressurreição do Salvador. O martírio é uma graça de Deus, que não acredito merecer. Entretanto, se Deus aceitar o sacrifício de minha vida, que meu sangue seja semente de liberdade e sinal de que a esperança logo será uma realidade. Minha morte, se é aceita por Deus, que seja pela libertação de meu povo e como testemunho de esperança no futuro. Pode escrever que, se chegarem a me matar, desde já perdoo e abençoo quem o faça.

Na homilia de 23 de março, dirige-se explicitamente aos homens do Exército, da Guarda Nacional e da Polícia:

Diante de uma ordem de matar deve prevalecer a Lei de Deus, que diz: NÃO MATARÁS! Ninguém deve obedecer a uma lei imoral [...]. Em nome de Deus e em nome deste sofrido povo, cujos lamentos sobem até o céu de maneira mais tumultuosa, suplico-lhes, rogo-lhes, ordeno-lhes em nome de Deus: afastem-se da repressão!

Serão as últimas palavras do bispo ao país. No dia seguinte, é assassinado por um franco-atirador, enquanto celebra a Eucaristia na capela do Hospital da Divina Providência. Selou seu testemunho com sangue, como Jesus e todos os mártires cristãos. Entretanto, sua morte não pode ser desconectada de sua vida. Foi o selo coerente dela. Para entender o alcance da morte de monsenhor Romero e afirmar que é realmente um martírio, será preciso pôr o olhar no modo como viveu. É o modo como viveu, sua história de vida, o que ilumina e dá à sua morte todo o sentido. E o vice-versa: sua morte confirma e legitima tudo aquilo pelo que lutou em vida.

Assim foi com Jesus e com tantos e tantas que, no seguimento do professor, não quiseram ser mais que Ele e sofreram as mesmas perseguições que Ele. Assim foi com os profetas, que sempre foram perseguidos na história de Israel por serem molestos para com os detentores do poder. Jesus se portou como um deles e foi reconhecido como o maior de todos. Por isso, entre outras coisas, encaminha-se resolutamente para Jerusalém, onde sabia que o esperavam o enfrentamento definitivo e a morte. Mas não convinha que um profeta morresse fora de Jerusalém.

Romero é um mártir. O mártir é "professor" pela intensidade de seu ensino. E essa intensidade dá um resplendor especial ao conteúdo da insígnia. O ensino de monsenhor Romero se pode ver no testemunho de sua vida de cada dia, dedicada integralmente ao serviço de seu povo, mas também em suas homilias cheias de fogo e de paixão, em suas cartas pastorais cheias de carinho paternal pelas ovelhas que estavam a seu cargo em El Salvador, em suas declarações à imprensa nacional e internacional.

Romero é um mártir porque recebe o martírio como um dom. A morte violenta por fidelidade a Jesus Cristo e a Seu Evangelho pode ser aceita, mas não procurada. Essa é a diferença em relação a outros que aceitam tanto morrer como matar. Não se trata da morte do camicase, nem do suicida, nem do homem-bomba. Tampouco de Sócrates, que bebe tranquilamente seu veneno diante de seus discípulos. Todos eles, de algum modo, procuraram a morte. O mártir recebe-a passivamente. O que faz é apenas não se apartar de seu caminho e não perder a lucidez sobre a história que lhe é dada a partir de sua fé. Também nisso é como Jesus de Nazaré.

Romero é um mártir porque "dá fé", testemunha, atesta aquilo em que crê. E, além disso, gera fé. Seu testemunho é acreditável e digno de fé.

Também nisso é como Jesus, testemunha fiel e digna de fé, de um salvadorenho que decidiu seguir a vida religiosa, ou levar uma vida mais coerente com seu batismo, ou lutar decididamente contra a pobreza e a injustiça de seu povo. O martírio foi um dom de Deus para ele e ele foi um presente e um dom para o povo de Deus.

4. A fé de monsenhor Romero: fôlego de sua vida e causa de sua morte

Ao nos aproximarmos do final destas reflexões, acredito que bem podemos dizer que o que matou monsenhor Romero foram sua fé e sua maneira de vivê-la, coerente e radicalmente, no momento histórico em que lhe tocou viver. Ele não foi um subversivo, certamente, mas o que disse e fez teve um alcance subversivo, porque tocava o nervo dos problemas econômicos, sociais e políticos que faziam da vida de seu amado povo uma via-crúcis de dor e insegurança.

A experiência de Deus de monsenhor Romero é inseparável de sua experiência histórica de homem, de sacerdote, de bispo, de salvadorenho. Deus para ele se revelava no meio da história, como para Moisés, os profetas, Jesus de Nazaré, Paulo de Tarso e toda uma nuvem de testemunhas que o precederam. A fé o interpela no tempo e no espaço em que se situa, e daí o convoca. E monsenhor responde com toda a sua vida, com todo o seu ser, com tudo o que é e tem. Isso se vê claramente em tudo o que ele diz e escreve. A revelação de Deus o alcança na história, em meio ao imprevisível, ao provisório, ao contingente, ou seja, na trama da história:

> Por que caminhos vem Deus à história? Por que caminhos vou encontrar, eu, concretamente, esse Deus que deve salvar? Por que caminhos El Salvador, nesta encruzilhada, neste beco sem saída, vai encontrar a salvação nesse Deus? Ou será que vão se rir de nós, como riam dos cristãos aos que escreveu São Pedro? Não, irmãos! Não é ilusão. Deus vem e seus caminhos são bem próximos a nós. Deus salva na história, na vida de cada homem, que é sua própria história; ali sai Deus ao encontro. Que satisfação saber que não teremos que ir procurá-Lo no deserto, não teremos que ir procurá-Lo em tal ponto do mundo! Deus está em seu próprio coração. "O reino de Deus está em seus corações", dizia Cristo. Ali estão os caminhos de Deus: são os caminhos da história, são os caminhos concretos de nossa vida nacional, familiar, privada. (10 dez. 1978)

Nesta breve palavra de monsenhor Romero, em uma homilia de advento, está toda a teologia de Rahner. Não há duas histórias. Há uma só história, e esta é a história da salvação. Ou nos salvamos nessa história ou será inútil procurar outra história. É na história em que se debatem, sofrem, lutam, se alegram os homens e as mulheres concretos e reais, e não em algum outro lugar. Deus vem a nosso encontro. Ou O encontramos aí ou é inútil buscá-Lo em outro lugar. Ou fazemos Sua experiência colocados totalmente nessa história, com suas desgraças e dores, problemas e desafios, ou passaremos a vida nos alienando em coisas que não levam a nada, e buscando-O onde não está e nunca estará.

Monsenhor Romero nos mostra como sua teologia está afinada com toda a teologia conciliar e mesmo pós-conciliar. É uma teologia dinâmica que tem em seu centro um Deus em nada aparentado com o Deus estático de certa teologia clássica, que se situou de tal forma afastado do drama humano que dava a impressão que as pobres criaturas já não podiam falar com o Criador. Não. A teologia de Romero sente um Criador bem próximo a suas criaturas. E sente e sabe que na plenitude dos tempos o mesmo Criador envia Seu Filho para armar sua tenda entre nós, em uma história conflitiva e pecadora, despojando-se de suas prerrogativas, pobre entre os pobres, um de tantos, obediente até a morte na cruz. E esse é o mistério maior, a surpresa maior a que nunca podemos nos acostumar para que nunca deixemos de nos maravilhar, de nos surpreender com o deslumbrante mistério que é o amor de Deus por nós, nossa pobre condição humana, tão frágil e tão dignificada por Sua graça.

> Deus é a vida. Deus é evolução. Deus é novidade. Deus vai caminhando com a história do povo. E o povo crente em Deus não deve aferrar-se a tradições, a costumes; sobretudo quando esses costumes, essas tradições empanam o verdadeiro Evangelho de nosso Senhor e Salvador Jesus Cristo. Tem-se que estar sempre atento à voz do Espírito: converter-se, ir atrás desse Evangelho, desse chamado do Senhor! Todo aquele que se sente seguro e acredita que não tem necessidade de trocar é fariseu, é hipócrita, é sepulcro branqueado; procure ouvir sua consciência e veja quais reclamações lhe está fazendo. (11 jun. 1978)

E monsenhor Romero vê muito bem que a presença de Deus na história não é neutra. "Deus fala da história." E aqui se dá a mediação histórica do mais fundamental da fé: ou acreditamos em um Deus de vida ou servimos aos ídolos da morte... Onde o pobre começa a viver, onde o pobre começa a libertar-se... onde os homens são capazes de sentar-se ao redor de uma mesa comum para compartilhar, ali está o Deus da vida. Por isso quando a Igreja se insere no mundo sociopolítico a fim de cooperar para que dele surja vida para os pobres não está se afastando de sua missão nem fazendo algo subsidiário e supletivo, está dando testemunho de sua fé em Deus, está sendo instrumento do Espírito, Senhor e doador da vida. "Essa fé no Deus da vida é o que explica o mais profundo do mistério cristão", dizia monsenhor Romero em 2 de fevereiro de 1980, um mês antes de sua morte.

E prosseguia com claridade lúcida, serena e transparente:

> Para dar vida aos pobres há que se dar da própria vida e até a própria vida. A maior amostra da fé em um Deus de vida é o testemunho de quem está disposto a dar sua vida: "Ninguém tem maior amor que o que dá a vida por seu irmão" (Jo 15,13). E isso é o que vemos diariamente em nosso país. Muitos salvadorenhos e muitos cristãos estão dispostos a dar sua vida para que haja vida para os pobres.

A fé de monsenhor Romero não estava desconectada da vida real, da história de seu povo. Era indissociável dele e dela. Por isso seu Deus – como o Deus de Israel, o Deus de Abraão, de Isaac, de Jacó, o *Abba* de Jesus – não era uma divindade inalcançável em Seu céu que exigia rituais intermináveis para aplacar Sua ira ou contentar Seu apetite, mas o Deus humilde e próximo, apaixonado, de vísceras vulneráveis, que caminha com Seu povo e faz história com ele.

A transcendência – sem perder nada de sua eternidade e inefabilidade –, para monsenhor Romero, é imanente, é histórica, é vulnerável, é condescendente. E só pode ser encontrada com verdade nas situações humildemente concretas em que estão implicadas a felicidade, a vida, a sobrevivência dos seres humanos amados por Deus.

> O que é a transcendência? Eu acredito que repito muito esta ideia, mas não me cansarei de fazê-lo. Porque corremos o perigo de querer sair das situações imediatas e nos esquecemos de que os imediatismos podem ser emplastros, mas não soluções verdadeiras. A solução verda-

deira tem que se encaixar no projeto definitivo de Deus. Toda solução que queiramos dar a uma melhor distribuição da terra, a uma melhor administração do dinheiro em El Salvador, a uma organização política acomodada ao bem comum dos salvadorenhos, terá que ser buscada sempre no conjunto da libertação definitiva. (23 mar. 1980)

5. Conclusão

Uma testemunha de Jesus Cristo não é um super-herói feito de força indômita e desprovido de qualquer medo. Trata-se de um ser humano com limitações, pobre e vulnerável, cheio de fragilidades como qualquer outro. Monsenhor Romero tremeu ante a ameaça que crescia sobre ele, como Jesus também tremeu, sentiu angústia, medo e pavor, tal como nos narra o Evangelho.

Sendo cristão, sacerdote e bispo, caminhava na fé, não na visão beatífica. Não sabia tudo, não controlava os processos em suas mãos. E sentia muito bem que havia muitas coisas que escapavam a seu controle, para o bem e para o mal. Por um lado, sentia que crescia o conflito que decidia sua morte e aumentava a pressão sobre ele; por outro, confiava amorosa e radicalmente no Deus a quem entregava sua vida.

Desejaria terminar estas reflexões citando algumas notas que escreveu em seus últimos exercícios espirituais. Nelas podemos ver um homem profundamente humano, lutando com sua fragilidade, mas voltando todo o seu ser para o Deus em quem acreditava e procurando entregar-se a Ele por inteiro. Ele o faz de maneira tão radical que renuncia até a sugerir ao Senhor a intenção pela qual oferece sua vida. Deixa a Ele, que é Senhor da história, esse cuidado.

Essas notas, escritas em fevereiro de 1980, um mês antes de sua morte, mostram um monsenhor Romero que chegou a uma síntese plenamente amadurecida entre fé e vida, fé e história. Trata-se de um homem com os pés bem plantados no chão por onde corre a vida de seu povo pobre e necessitado, e que daí oferece toda sua vida a Deus com confiança e fé adultas, amadurecidas, sólidas. Sente-se nessas palavras a intuição de alguém que sabe que chegou sua hora e que deposita totalmente sua confiança, sua pessoa e a própria vida em mãos do Deus que reconhece como seu Criador e Senhor.

Sinto medo pela violência contra minha pessoa. Fui advertido de sérias ameaças precisamente para esta semana. Temo pela debilidade de minha carne, mas peço ao Senhor que me dê serenidade e perseverança... Meu outro temor é a respeito dos riscos de minha vida, custa-me aceitar uma morte violenta, que nestas circunstâncias é muito possível. Inclusive o Núncio Apostólico da Costa Rica me avisou de perigos iminentes para esta semana. O pai [Padre Azcue, jesuíta, seu mentor espiritual] deu-me ânimo me dizendo que minha disposição deve ser dar minha vida por Deus, qualquer que seja o fim de minha vida. As circunstâncias desconhecidas serão vividas com a graça de Deus. Jesus Cristo assistiu aos mártires e, se for necessário, senti-lo-ei muito perto ao lhe entregar meu último suspiro. Mas mais valioso que o momento de morrer é lhe entregar toda a minha vida e viver por Ele. Assim dedico minha consagração ao Coração do Jesus, que foi sempre fonte de inspiração e alegria cristã em minha vida, e aceito com fé a minha morte, por mais difícil que seja, nem quero lhe dar uma intenção, como o quisesse pela paz de meu país e pelo florescimento de nossa Igreja, porque o coração de Cristo saberá lhe dar o destino que queira... Basta-me, para estar feliz e crédulo, saber com segurança que Nele estão minha vida e minha morte. E, apesar de meus pecados, Nele pus minha confiança e não me confundirei e outros prosseguirão com mais sabedoria e santidade os trabalhos da Igreja e da Pátria.

Não há aqui nem um pingo de orgulho, de presunção, de ardor imoderado. Somente a profunda humildade de uma testemunha que se sabe seguidora e confia em que não será desamparada. É um homem que não se acredita imprescindível e confia em que outros tomarão seu legado e o levarão adiante. É um cristão esperançoso.

Oxalá essas palavras possam nos acompanhar nestes tempos que vivemos, nos quais às vezes a tentação do desânimo nos ronda com os terríveis sucessos de nossa história, com as mudanças desconcertantes de uma cultura que parecemos não entender mais, com os rumos da Igreja que nos custa aceitar. Que nossa fé, seguindo o exemplo de monsenhor Romero, possa estar bem ancorada na história, mas muito consciente de encontrar sua fonte e seu destino naquele que tem em suas mãos as rédeas da história e que prometeu acompanhar sempre seu povo.

Fé e política. Problema de método teológico

José Comblin*

Para estudar a questão da fé e política, é preciso partir de um dado hoje aceito por grande número de teólogos. Em toda a história do cristianismo há uma contradição interna, uma tensão permanente entre dois polos: o polo evangélico e o polo religioso.

Jesus não fundou nenhuma religião; ele nasceu e viveu na religião judaica. Quando ia ao templo ou às sinagogas, sempre era para criticar e anunciar a superação de toda instituição judia e o advento de uma nova relação com Deus. Não participava dos cultos, opunha-se fortemente ao que poderíamos chamar de clero do judaísmo: os sacerdotes e os doutores. Entrou em conflito com a elite religiosa do seu tempo, que eram os fariseus. E não criou outra religião para substituir a religião judaica; fundou outra coisa.

Jesus veio anunciar o Reino de Deus e iniciar Sua chegada à humanidade. Enviou seus discípulos ao mundo inteiro para divulgar essa notícia e convocar os povos para construir esse Reino. Escolheu o caminho da não violência, do não poder. Não quis impor à humanidade que se submetesse à sua obra. Para realizá-la, escolheu os pobres, que precisamente não tinham nenhum poder. Por haver rejeitado as elites religiosas e políticas do seu tempo, foi condenado à morte e sofreu o suplício reservado aos escravos. Morreu na cruz, mas sua obra permanece e seus discípulos continuam a divulgar o

---

* Sacerdote e missionário belga, teólogo da Teoria da Libertação, trabalhou no Brasil, onde morreu, em março de 2011. (N.T.)

Reino de Deus. O Reino de Deus é uma mudança radical e total de toda a vida da sociedade humana. É a boa-nova anunciada aos pobres da Terra, o Evangelho.

Mas os discípulos não só anunciaram o Evangelho como criaram também uma religião, cujo objetivo era precisamente Jesus. Em torno da recordação de Jesus, criaram todo um mundo simbólico. O Evangelho visa ao mundo real da humanidade real, na sua vida material e cultural. Os apóstolos e seus sucessores criaram um mundo simbólico cada vez mais desenvolvido na história. Receberam o Espírito Santo, mas lhe foram mais ou menos fiéis segundo a história, as culturas e as pessoas.

A religião, toda religião, inclusive a cristã, é uma criação humana. Responde a uma necessidade do ser humano. Nenhuma pessoa normal pode viver sem religião. Até os ateus têm sua religião, que é a negação da religião dos outros. O mundo simbólico da religião permite que homens e mulheres possam dar sentido à sua vida biológica. Todos se perguntam por que estão na Terra por tão pouco tempo. A religião oferece uma resposta que permite viver sem angústia. Cada povo tem sua religião, que nasceu e se desenvolveu durante longa evolução. As ciências da religião estudam todos esses fenômenos. A religião é um elemento fundamental da cultura e costuma ser seu elemento central. Às vezes abarca toda a cultura, como na cristandade ou no Islã, ou também no hinduísmo. Existem tantas religiões quantas são as culturas.

Como começou a fundação da religião cristã? Provavelmente com o culto a Jesus. Jesus não havia pedido nenhum culto à Sua pessoa, e nos Evangelhos não aparecem atos de culto por parte dos contemporâneos de Jesus. Jesus pedia a fé, ou seja, o seguimento. Os discípulos começaram a cultuá-lo, principalmente a partir do momento em que o título de Messias foi substituído por títulos de divindade. Surgiram dois polos entre os discípulos: os que priorizavam o seguimento e os que priorizavam o culto. Especialmente para os que não haviam conhecido o Jesus terrestre, o culto se transformou no polo dominante. Os Evangelhos foram escritos por discípulos profetas com o interesse de mostrar o perigo de desumanizar Jesus, e os escreveram para mostrar toda a Sua humanidade terrena, insistindo em que essa vida terrena de Jesus era a norma para todos os discípulos. Não bastava o culto. A prioridade era o seguimento de Jesus. Esse problema, a substituição da humanidade real e concreta de Jesus em sua missão terrena pelo culto ao Jesus celestial, foi um drama durante toda a história da cristandade e ainda hoje é a fonte principal de todas as controvérsias na Igreja: dar prioridade ao Evangelho ou à religião?

Como se formou a religião cristã? Sem dúvida, os primeiros autores eram judeus. Os judeus que aceitavam Jesus não abandonavam toda a sua tradição judaica, que impregnava sua cultura, firmemente estabelecida no seu subconsciente e também na sua consciência religiosa. Trouxeram e introduziram nas comunidades cristãs usos, costumes e doutrinas que vinham do Antigo Testamento ou da tradição judaica contemporânea. Na Carta aos Gálatas, Paulo se mostra alarmado por essa infiltração.

O judaísmo originou a teoria do sacrifício com o sacerdócio, e mais tarde os templos, e também o rigor moral e o patriarcado, entre outras inovações. Nos séculos II e III, o gnosticismo desencarnou em Cristo e O colocou em um mundo de entidades espirituais, condenando o corpo como pecado ou obstáculo. Com isso, a humanidade de Jesus tendeu a desaparecer. Houve reações exaltadas, mas uma tendência gnóstica, que fazia de Jesus um ser puramente espiritual ou de uma humanidade espiritualizada, permanece até os dias de hoje.

No século IV, as características essenciais da religião cristã já estão definidas. Com os decretos de Niceia e Constantinopla, aparece uma doutrina oficial, com fórmulas obrigatórias. Pouco a pouco essa doutrina vai crescendo e constituindo um corpo doutrinal que tomará o lugar da Bíblia no modo de proceder da cristandade. A Bíblia foi lida à luz da doutrina oficial. Nessa época, já instituíram-se algumas grandes liturgias. Surgiu o clero, com traços definitivos, como classe separada dos leigos, classe que se reserva todos os poderes em matéria de doutrina, moral, liturgia e vida comunitária.

Desde então aparecem, cada vez com maior nitidez, as tensões ou contradições entre a nova base religiosa e o Evangelho. Elas são particularmente evidentes no que se refere à política ou ao modo de presença da Igreja no mundo.

O Evangelho origina-se em Deus e, portanto, não pode mudar. A religião é criação humana, e pode e deve mudar segundo a evolução das culturas e das condições de vida dos povos. Se a religião não muda, parece cada vez mais obsoleta, irrelevante, e os povos a abandonam. Vive-se o Evangelho no mundo real, material e social. Vive-se a religião em um mundo simbólico. O Evangelho quer ações concretas e corporais na vida individual ou social. A religião quer ações simbólicas. O Evangelho é universal, porque não traz consigo nenhuma cultura, não gera nenhuma cultura, nem sequer está associado a uma religião. A religião está sempre ligada a uma cultura. No cristianismo, a religião cristã estava totalmente associada a uma cultura que ela mesma havia produzido em muitos de seus elementos. O Evangelho renuncia ao poder, não o procura nem o aceita. A religião busca o poder, e sempre busca também o apoio dos poderes políticos e econômicos. A religião não aceita nenhum conflito com as autoridades políticas; adapta-se às mudanças nos poderes, mas não os incita. Aceita a sociedade estabelecida tal como está, a não ser que esta não respeite os privilégios que ela pede. O Evangelho prioriza os pobres, porque Deus lhes revelou Seu Evangelho. Os pobres são os construtores do Reino de Deus, ou seja, da mudança radical da sociedade no tocante à justiça e à libertação dos oprimidos. A religião trata os pobres com a esmola e todas as formas de assistencialismo; interessa-se pelos "pobres bons", os que aceitam a desordem estabelecida. O Evangelho está sempre em conflito com os poderes dominantes. A religião sempre procura a colaboração com o sistema estabelecido e rejeita todos os conflitos. Quer a paz porque as mudanças criam situações de risco que poderiam fazê--la perder seus privilégios. Uma pessoa segue uma religião quase sempre por meio da família, ou pela incorporação em um país diferente, com outra religião. Uma pessoa segue o Evangelho por uma conversão pessoal, uma opção plenamente consciente e voluntária. Uma religião é sempre conservadora, moral, social e politicamente; ela apenas se adapta às mudanças inevitáveis causadas pela pressão externa. O Evangelho sempre busca mudanças individuais e sociais. A política da religião é o acordo com as autoridades estabelecidas. A política do Evangelho é a procura da justiça e da fraternidade universal, pela solidariedade de todos com todos. A religião visa ao passado. O Evangelho visa ao futuro.

A tensão entre Evangelho e religião é muito forte na Igreja Católica, considerada como instituição que se formou no quadro do cristianismo e mantém as mesmas estruturas, embora o cristianismo tenha desaparecido. Durante os primeiros séculos, os cristãos apresentaram-se como o novo e verdadeiro povo de Deus, a verdadeira Igreja no sentido da Bíblia, ou seja, sem instituição que configurasse o povo, pois esse povo de Deus não estava estruturado socialmente desde o começo. Paulo criou a primeira estrutura, ao fundar comunidades em cidades gregas: elas eram o povo de Deus em cada cidade, mas ainda sem expressão jurídica. Não havia sacerdotes, bispos, liturgia oficializada nem organização entre as diversas comunidades. No final do século I, apareceram os presbíteros como primeira estrutura jurídica, mas ainda não eram sacerdotes nem ordenados como pessoas sagradas. Tampouco havia a separação entre clero e laicos.

No século II surgiram os bispos, presbíteros que se destacavam como chefes do conselho presbiteral da cidade. Mais tarde realizaram-se reuniões entre bispos das várias comunidades urbanas, mas ainda não havia uma instituição que reunisse as diversas cidades, tampouco existiam liturgias em comum. Surgiram alguns esquemas, como o livro de Hipólito de Roma, assim como as primeiras normas de um direito eclesiástico, principalmente para solucionar o problema dos *lapsi*, os cristãos que renegaram a fé para salvar a vida. Foi o problema da reconciliação e suas condições.

A Igreja como instituição nasceu em Niceia pela vontade e iniciativa do imperador Constantino. Pela primeira vez, houve uma reunião de todos os bispos, reunião essa que foi convocada, orientada e presidida pelo imperador, que nem sequer era cristão. O imperador apresentou ou impôs seu projeto aos bispos. Tratava-se de dar os primeiros passos rumo à entrada oficial do cristianismo no Império Romano, como religião oficial. Os bispos concordaram e também aceitaram os primeiros sete concílios ecumênicos, todos convocados pelo imperador. O fato de a instituição da Igreja universal haver sido forjada pela ação do imperador teve, durante séculos, e até os dias de hoje, consequências gravíssimas, especialmente no que se refere à relação entre fé e política.

Uma vez instalada como religião do Estado, a Igreja, como instituição, ficou de mãos atadas. O clero foi reconhecido no Império como poder e esteve associado a todas as guerras do Império e de seus sucessores, os reinos dos francos, dos visigodos, do Império Germânico, e dos reinos da França, Espanha e dos outros reinos que adotaram a estrutura imperial. Na guerra, a religião era o elemento essencial. Todos estavam convencidos de que Deus concedia a vitória, e o fundamental era conseguir o favor de Deus: sem isso não se podia ganhar uma guerra. Exigiu-se que o clero conseguisse o apoio de Deus.

De modo semelhante, na política interna o clero estava encarregado de contribuir para a unidade e a paz interna do império ou do reino. Estava subordinado à sociedade estabelecida e não podia ser um fator de mudanças nem de revolução. A religião cristã foi a maior força conservadora da sociedade cristã. No Oriente, o imperador esteve à frente do império até sua destruição, em 1453. No Ocidente, o antigo Império Romano foi destruído já em 476, mas foi substituído por diversos reinos bárbaros, e, desde Carlos Magno, por um novo império, que reunia toda a parte ocidental da Igreja. No Ocidente, o Império Germânico jamais conseguiu ter a força do antigo Império Romano nem do império oriental. Dependia do Papa em sua origem, e sempre dependeu dele para sua legitimidade. Desde Gregório VII, o Papa rivalizou com o império sobre a supremacia no cristianismo. O Papa foi o chefe das cruzadas e era o generalíssimo dos exércitos cristãos. Os imperadores e os reis católicos sempre lutaram por adquirir sua independência do Papa, e acabaram conseguindo. A partir do século XVII, a superioridade do poder da religião se perde, e a religião se submete totalmente aos reis. Entretanto, permanece a ilusão da supremacia política do papado.

Quando o império desapareceu em 1806, e quando se estabeleceram leis de separação entre Igreja e Estado, os papas não perderam a ilusão de reconquistar o poder: mantiveram-se ligados às monarquias até o final, e nas democracias trataram de utilizar os métodos democráticos para recuperar a maior parte possível de sua superioridade política. Ainda hoje os papas tentam conservar o poder político por meio do Estado do Vaticano, das missões diplomáticas e da supremacia, que pede que o núncio apostólico seja reconhecido como decano do corpo diplomático. Por meio de sua doutrina social, a Igreja trata de manter pelo menos seu poder ideológico e luta para salvar as normas da moral cristã, como, por exemplo, em matéria de sexo e família. O esquema social ainda não morreu na imaginação e na ação política da Igreja, que exerce uma ação política para defender o que lhe resta dos privilégios do antigo cristianismo, como, por exemplo, na América Latina e na Europa.

Ela trata de impor a moral católica nos países que faziam parte do antigo cristianismo. O Papa exerce um poder político, embora cada vez menos eficiente. Não permite que os católicos tomem atitudes políticas diferentes das suas. Na Igreja, apenas o Papa pode definir e executar a política.

Em toda a história do cristianismo, e também depois dela, houve movimentos, inspirados pelo Evangelho, que visavam a reformas da sociedade chamada cristã e que estiveram na base de revoluções sociais e políticas, criticando e rejeitando a sociedade estabelecida, embora tivessem o apoio e estivessem associados ao poder do clero. Todos esses movimentos fracassaram, e finalmente as revoluções foram feitas por aqueles que haviam se separado da Igreja, embora invocassem o Evangelho. O antagonismo entre Evangelho e revolução foi substituído pela hostilidade entre a Igreja e as repúblicas laicas. Sempre houve duas políticas cristãs no cristianismo, e depois dele. Nesse estado de guerra virtual, os que priorizavam o Evangelho foram reprimidos.

Na América Latina, tivemos, no século XX, uma visível manifestação desse antagonismo. A política romana sempre procurou uma aliança com os governos ditatoriais contra os movimentos reformistas ou revolucionários. Entretanto, na base desses movimentos sempre havia uma inspiração evangélica e representantes de parte do clero dissidente da política dos papas. Ainda hoje, em pleno século XXI, a Igreja romana se opõe aos movimentos de transformação social na Venezuela, Bolívia, Equador e Honduras, mas existem católicos que os apoiam em nome do Evangelho. A razão é que a Igreja romana dá prioridade ao polo da religião, e a religião é defendida pelas ditaduras de direita. A oposição se inspira no Evangelho.

A entrada do cristianismo no Império Romano como religião do Estado e o regime do cristianismo que daí resultou tiveram também enormes consequências no regime interno da Igreja, que se constituiu segundo o modelo imperial. Pouco a pouco nasceu um modelo eclesiástico inspirado no direito romano de Justiniano. No direito romano, todos os poderes se concentram na pessoa do imperador, que delega poderes a seus funcionários de todos os níveis. O povo é absolutamente passivo: sua missão é obedecer. Todas as decisões vêm do alto escalão e são transmitidas por intermédio dos níveis dos oficiais do império.

Na Igreja, o modelo imperial estava diretamente em oposição ao modo de viver das comunidades cristãs, onde não havia o clero como classe superior. A liturgia, o ensino da fé e as decisões relativas à comunidade se definiam localmente com a participação do povo cristão, inclusive a escolha dos bispos quando eles surgiram.

A implantação do modelo romano não foi fácil nem rápida, porque se opunha à antiga tradição cristã, mas quando os papas assumiram a direção do cristianismo, começaram a impor a uniformidade imperial a todas as partes do cristianismo. Durante séculos lutaram para controlar a doutrina com os concílios medievais, e a liturgia romana foi eliminando as outras, o que finalmente se conseguiu no Vaticano II. Os papas lutaram pela nomeação dos bispos, o que se obteve com o código do direito canônico de 1917, finalmente aplicado a quase todas as dioceses. Quando os bispos deixaram de ser nomeados pelos reis, o Papa assumiu essa tarefa, em vez de devolver esse encargo às Igrejas locais, como acontecia na tradição antiga.

A organização imperial da Igreja Católica impediu o desenvolvimento do povo cristão. Os leigos foram infantilizados pelos sacerdotes, o que constitui o grande problema da Igreja em meio ao mundo moderno laico. Sempre houve protestos, propostas de voltar-se às tradições antigas da Igreja, mas os papas e sua cúria romana impediram todas as manifestações nesse sentido. A Igreja se transformou em um império religioso, sob o pretexto de que a Igreja não é uma democracia. Entretanto, ela devia assemelhar-se mais à democracia que ao império, se examinarmos todas as fontes das origens cristãs.

Na América Latina, o começo da conquista teve missionários franciscanos e dominicanos cuja intenção era pregar o Evangelho e constituir uma Igreja diferente da que havia em seus países de origem, que conheciam as corrupções do cristianismo. Quando os impérios da Espanha e de Portugal se consolidaram na América, implantou-se o regime do cristianismo de forma radical, e o polo da religião predominou até o século XX, quase até o princípio do Vaticano II. Os sacerdotes e religiosos organizaram a instituição eclesiástica, mas deixaram os indígenas, os escravos negros e o povo mestiço sem conhecimento do Evangelho, apenas com fragmentos da religião nas metrópoles.

Depois do Vaticano II aconteceu o milagre de Medellín, confirmado por Puebla. Houve uma geração de bispos, sacerdotes, religiosos e religiosas que adotaram o polo evangélico, sem romper com a religião. Foi uma geração que começou com o Vaticano II depois de alguns precursores e durou mais ou menos até meados dos anos 1980. Nem todos participaram do movimento, que constituiu a tendência dominante nas Igrejas da América Latina em geral, embora não em todos os países.

Agora estamos em outra fase da história. Predomina o polo da religião, com o pontificado de João Paulo II prolongado pelo atual Papa. Os bispos fundadores da Igreja latino-americana em Medellín foram repreendidos e castigados, acusados de fazer política em lugar de administrar a religião de sua diocese. Desde então predomina uma vigorosa campanha contra Medellín e Puebla. A Teologia da Libertação foi condenada, e assim continua até hoje. As comunidades eclesiásticas de base passaram a ser alvo de desconfiança e foram praticamente abandonadas pela maioria do clero. Reapareceu uma teologia tradicional, com seminários tradicionais, uma vida sacerdotal tradicional, tudo isso anterior ao Vaticano II. O Concílio se repete verbalmente, mas a pastoral promovida por Roma é um retrocesso à estrutura anterior ao Vaticano II.

Prevalecem na Igreja romana e em todos os países os movimentos burgueses que ainda creem ser possível voltar a formar um cristianismo graças à reconquista do poder político. Ignoram a situação das grandes massas humanas, especialmente a dos pobres. É verdade que muitos bispos não acreditam nessa ficção, mas não se manifestam porque Roma está vigiando. O Papa dirige um grande combate contra o relativismo. No entanto, o relativismo é todo o mundo contemporâneo interpretado dessa forma. Creem que uma pequena minoria de defensores fanáticos das estruturas estabelecidas será capaz de refazer o cristianismo. Daí a aliança com todos os movimentos burgueses da sociedade, com a política dos Estados Unidos e da União Europeia e, de modo geral, com os partidos conservadores. Por isso nunca aparece uma condenação do capitalismo, mesmo depois da grande crise que se manifestou desde 2008. Não se observa que o documento de Aparecida tenha provocado qualquer mudança real na política eclesiástica.

Essa rápida evocação da história do cristianismo nos permite entender por que é necessário reexaminar o método da teologia. Essa revisão já começou na América Latina, mas foi contida com muito rigor por Roma. Se existem dois polos contraditórios na Igreja como instituição, embora não como povo de Deus, a teologia deve estudar esses dois polos.

Por um lado, uma teologia cristã consiste em procurar desde as origens até a nova tradição do Evangelho vivido na Igreja. Onde se encontra em cada época da história? Como foi vivida a mensagem do Evangelho ao longo de toda a história? Na atualidade, que significa a mensagem evangélica? Onde podemos observá-la hoje?

Não se trata de doutrinas; trata-se de vida. O Evangelho é vida e a mensagem é sua vida, como a mensagem de Jesus foi sua vida terrena. Vidas humanas viveram o Evangelho e o vivem ainda nos dias de hoje. Onde? O objetivo primordial da teologia não são as doutrinas ensinadas desde os séculos passados até hoje. As doutrinas são criações humanas. Embora o Espírito possa transmitir sua mensagem por meio delas, as doutrinas nunca são simplesmente o ensinamento do Espírito: sempre são relativas ao alcance da inteligência humana, relativas à cultura na qual foram elaboradas. Os chamados dogmas não são apenas a palavra do Espírito. A vida mostrará o que é do Espírito e o que é do pensamento humano.

É claro que essa teologia jamais coincide com a verdade. Há muitas outras interpretações, o que é previsível em toda obra humana, mas em primeiro lugar os cristãos necessitam da mensagem da vida.

Por outro lado, a teologia considera, também, todas as teologias eclesiásticas que, no decorrer dos séculos, transformaram a Igreja e a levaram a suas estruturas atuais. Trata-se da doutrina, da liturgia, da moral e da organização eclesiástica. Trata-se de tudo o que se acrescentou à mensagem de Jesus. Na teologia moderna, ensinou-se que, paralelamente à Bíblia, há verdades reveladas não escritas que foram transmitidas oralmente desde os apóstolos. Na prática, porém, é muito difícil identificar essas tradições, salvo quando se considera como tradição tudo o que existe na Igreja atual mas, historicamente, não se pode manter. Além disso, o Concílio de Trento foi mais prudente e não ensinou que existem verdades não escritas na Bíblia e transmitidas apenas por via oral.

Essa parte da teologia começa com um estudo histórico da construção de todas as estruturas que existem na instituição da Igreja Católica. A partir disso, a teologia procura a origem das transformações, que se originam de algumas personalidades fortes ou de algumas instituições cristãs particulares, ou vêm das tradições populares, ou das religiões dos povos com os quais a Igreja esteve em contato. Devemos examinar especialmente as raízes possíveis dos povos que foram evangelizados pela conquista militar ou política. Tudo isso inclui uma história dos dogmas e das doutrinas, uma história do culto, da moral, da instituição de governo.

Todas essas tradições podem e devem mudar, porque se referem à cultura de seu tempo. Além disso, seu significado muda nas diversas épocas de sua história. Essas tradições são positivas na medida em que conduzem ao Evangelho, mas negativas quando se afastam dele. Há tradições que devem mudar porque já não correspondem à cultura contemporânea. Como exemplo, podemos citar o mundo sagrado dos povos germânicos (santos, milagres, relíquias), o mundo penitencial que se originou dos monges irlandeses ou ingleses (sistema penitencial, práticas ascéticas extremas), a filosofia grega que penetrou no século XIII e condicionou todo o pensamento cristão e que é incompreensível na cultura atual, a dedicação moderna e seu individualismo espiritual próprio de uma época em que tudo se afastava das instituições eclesiásticas.

Existem tradições que se devem interpretar de modo diferente, como, por exemplo, os sacramentos e todo o sistema de bênçãos. Podemos acrescentar a organização dos ministérios de tal modo que o povo possa ocupar o lugar a que tem direito na Igreja.

Em toda religião, inclusive na cristã, houve e há aspectos negativos e positivos. Como negativos, podemos recordar a conquista dos povos bárbaros por meio da guerra, as cruzadas e as guerras religiosas, tudo em nome de Deus. Também em nome de Deus, a Inquisição, as torturas, a queima dos supostos hereges, a repressão sangrenta das heresias, o desconhecimento dos direitos humanos, o desconhecimento da miséria operária durante tanto tempo, a conquista da América e a destruição dos povos indígenas, justificados pela doação do Papa,[1] no tráfico de milhões de escravos africanos, o atual silêncio sobre o capitalismo e tudo o que ele acarreta aos pobres que são suas vítimas, a destruição da África pelos poderes econômicos estrangeiros, inclusive as guerras financiadas pelos

---

[1] Bula de doação do Papa Alexandre VI aos reis católicos. (N.T.)

povos desenvolvidos com o silêncio de suas autoridades, recentemente o silêncio da hierarquia em muitos países da América Latina durante as ditaduras militares, como ocorreu na Argentina, na América Central e em outros países, sempre com o apoio de Roma e das nunciaturas, o silêncio sobre as guerras dos Estados Unidos no mundo muçulmano da Ásia, em nome de Deus.

Esses são apenas alguns aspectos mais evidentes; não se justificam como erros de alguns cristãos, pois foram feitos em nome de Deus pelas supremas autoridades da Igreja. A mesma religião cristã esteve e está comprometida, e os leigos não receberam a orientação que deveriam. Há na religião elementos incitadores perversos que é preciso combater sem manter silêncio.

Por outro lado, a religião cristã criou uma civilização na Europa ocidental, entre os séculos V e XII, principalmente baseada nas obras dos monges. A religião salvou os monumentos literários da civilização greco-romana; preservou imensas obras artísticas e literárias dos séculos passados. Estamos falando da religião, não da tradição evangélica que se transmitia em meio à instituição eclesiástica, muitas vezes em conflito com ela.

O coração do Evangelho à margem do mundo.
A espiritualidade do martírio por outro mundo possível

Luiz Carlos Susin*

Como sabemos todos, mártir é quem presta testemunho, a testemunha que chega a arriscar sua vida e seu sangue. Nesse sentido, João é o evangelista que resume essa característica do martírio de Jesus, a testemunha por excelência de Deus, Nosso Pai. Entretanto, é espantoso e trágico o que diz João na abertura de seu Evangelho: "Veio para o que era seu, mas os seus não o receberam" (Jn 1, 11). Trata-se de uma primeira conclusão surpreendente, aparentemente sem lógica e totalmente inesperada, pois o que ele anuncia imediatamente antes é grandioso e cheio de esperança: No princípio era o Verbo, e o Verbo estava com Deus, e o Verbo era Deus. Ele estava no princípio com Deus, e todas as coisas foram feitas por intermédio Dele; sem Ele, nada do que existe se fez. A vida estava Nele, e essa era a luz dos homens. Ele mesmo não era a luz, mas veio para iluminar a escuridão e o mundo não a conheceu; veio para o que era naturalmente Seu, mas os Seus não O receberam. E O mataram amparando-se em justificativas legais. Há, porém, uma segunda conclusão, uma boa-nova que procede do mundo em resposta à ótima nova de Deus: a todos quantos O receberam, deu-lhes o direito de serem filhos de Deus, nascidos de Deus (cf. Jn 1). Contudo, permanece a intrigante pergunta: por que o mundo não conhece

---

* Professor de Teologia da Estef (Escola Superior de Tecnologia e Espiritualidade Franciscana) e de Filosofia da PUC-RS; coordenador-geral do Fórum Mundial da Teologia da Libertação em 2005. (N.T.)

seu autor? Por que os Seus não O receberam? Seria má vontade ou algo estrutural deste mundo?

O versículo 14 do primeiro capítulo de João, tão conhecido por nós, revela-nos e nos entrega o segredo de Deus, o lugar de sua revelação, o lugar de encontro com Ele: "E o Verbo se tornou carne." E, assim, na condição de fragilidade e mortalidade próprias da carne humana, Ele Se deixa encontrar morando entre nós, em uma tenda de peregrino como a nossa, que somos tão humanos ao passar por este mundo. São essa modalidade e esse lugar de revelação divina que nos fazem encarar um novo espanto e a trágica possibilidade de não reconhecer nem acolher o divino hóspede. Eis o escândalo do Evangelho, a pedra no caminho da religião cristã, como ressaltou Paulo aos coríntios (cf. 1 Cor 1).

Nunca se insistirá demasiado nesse mistério, que é, ao mesmo tempo, maravilhoso e escandaloso. Esse é o cerne do Evangelho e a especificidade cristã em um mundo de muitas religiões, inclusive de muitos cristianismos. Como afirma com sutileza Christian Duquoc: "Para conhecer Deus, a pergunta original e metodologicamente correta não é a pergunta em sua essência e, sim, a pergunta sobre o lugar a partir do qual Ele decidiu aproximar-se e revelar-se." E embora nos encantemos com uma resposta tão "humanizada" e surpreendente de Deus, persiste a pergunta: por que é tão difícil aceitar essa "contralógica" divina? Talvez a resposta esteja em nós mesmos, não em Deus: ela nos conduz por caminhos inesperados aos quais resistimos, ao menos no primeiro momento. Examinemos com atenção os dois movimentos: o que vem de Deus até nós e o que nos conduz a Deus.

1. A maneira de Deus acercar-se do mundo: o lado maravilhoso

É uma grande pretensão querer saber como Deus age, como é Deus, como Deus pensa, mas isso não é uma especulação de uma cabeça pensante. São as fontes cristãs e, depois, o fio dourado da tradição cristã que prestam testemunho sobre a forma de Deus acercar-se do mundo.

O evangelista nos facilita entender imediatamente o lado maravilhoso de Deus: "Porque Deus amou o mundo de tal maneira, que deu Seu Filho unigênito" (cf. Jn 3, 16) não para que condenasse o mundo, mas para que o mundo fosse salvo por Ele (cf. Jn 3, 17). Não veio tampouco para julgar, mas – ainda uma vez João nos recorda – "para salvar o mundo" (cf. Jn 12, 47). Lucas e Mateus nos traduzem essa aproximação salvadora por meio dos relatos do nascimento e da infância do Menino Deus, nascido de uma mulher, acompanhado por uma mãe e um pai, na condição de uma grande humildade humana. Não precisamos recorrer aos detalhes, mas a festa de Natal sempre nos emociona com a surpreendente humildade de Deus. Não é Deus o "Todo-Poderoso", aquele de quem se diz possuir todos os atributos do ser, do poder, do saber, do ter? De fato, o monoteísmo confessa que ao Deus único é costume atribuir toda a força, toda a sabedoria, toda a riqueza, todo o poder, toda a glória, o domínio e a majestade, tudo o que pertence a Ele (cf. Ap 5, 12, 13; Rom 16, 27, Judas 25).

Utilizando certa metáfora espacial, poderíamos dizer: Deus está acima dos ricos, dos poderosos, dos sábios, de todos os que são mais celebrados neste mundo. Contudo, prosseguindo com a lógica dessa metáfora, exatamente esses que são os mais poderosos, os mais ricos, os mais sábios são os que estão mais perto de Deus, que está lá no alto, os que têm o privilégio de ser os melhores sinais de Deus, neste mundo de tanta desigualdade. Quanto mais nos aproximamos de alguém poderoso ou rico, mais nos aproximamos do divino. É evidente que, com a sensibilidade do Evangelho, podemos reagir de imediato: há algum problema com essa lógica e com essa metáfora; esse não é o lugar privilegiado para nos acercarmos de Deus segundo os Evangelhos. E então talvez devêssemos analisar brevemente alguns textos do Antigo Testamento e também do Novo Testamento, que afirmam com todas as letras essas poderosas metáforas sobre Deus. E vamos entender que são metáforas proféticas, em confronto com os poderes e as majestades deste mundo e seus ídolos. Portanto, quando se admite que em Deus estão concentrados todo o poder, toda a riqueza, todo o saber, toda a honra e a majestade, as coisas se relativizam e se submetem aos poderes deste mundo e seus ídolos fascinantes. Pois esse poderes, levados à divinização absoluta, de fato se tornam diabólicos, tornam-se o mal absoluto, fontes de injustiça, de crueldade e de sofrimentos dos inocentes.

Essa, porém, não é a melhor nem a mais sólida metáfora, a palavra mais reveladora acerca de Deus, de sua maneira de se aproximar e se deixar encontrar. Abandonadas à sorte, as metáforas da onipotência, do poder e da riqueza, se, por um lado, têm a função de relativizar os poderes deste mundo, por outro, acabam colocando Deus acima dos ídolos, como o ídolo maior a quem se submetem os ídolos. Seria então o mais valente que aprisiona o valente (cf. Mc 3, 27), que se mantém na mesma lógica de crueldade típica dos ídolos. Quando se recorre a essa imagem de Deus, acontece todo tipo de tentações: por que Deus não tem força ou previsão para evitar um terremoto, uma catástrofe, um sofrimento de inocentes? Nem para submeter os tiranos e os sistemas injustos?

Entretanto, analisemos a metáfora da riqueza em um sentido mais amplo de sua abundância: Paulo é muito claro em seu paradoxo: "Pois conheceis a graça de Nosso Senhor Jesus Cristo, que por vós fez-Se pobre, sendo rico, para que pela pobreza vos enriquecêsseis" (2 Cor 8, 9). Observemos a sutileza do final de sua afirmação: não foi propriamente para enriquecer-nos compartilhando Sua riqueza, mas compartilhando Sua pobreza, a pobreza na qual aprendeu a ser humano como nós, pobres e frágeis mortais. Em outras palavras: utilizando um hino que Paulo recita em sua carta à sua querida comunidade de Filipos, eis a condição do *kénosis* (cf. Fl 2, 6-11), o esvaziamento da condição divina de um Deus que, como missionário divino, aproxima-se da carne e da linguagem humana, renuncia à condição divina, o que seria um espetáculo, uma demonstração de poder e majestade, para transformar-se em um peregrino humilde e obediente aos limites humanos, inclusive carente e necessitado, que se aproxima não como aquele que manda, mas como alguém que suplica e se dedica a servir, "Servo de Deus", Deus "*sub especie contrario*". Está, portanto, de novo utilizando uma metáfora espacial, um Deus que renuncia a aproximar-se do nível mais alto ao mais baixo, de um lugar mais humilde onde estamos. Há sempre um "pequeno" (*elaschistos*) humilhado, esmagado (cf. Mt 25) – menor do que nós e que, para nós, é o lugar de onde Deus nos surpreende com uma aproximação paradoxal: para enriquecermos *com sua pobreza*, suscitando em nós, na relação com Ele, não a humilhação de nossas necessidades diante da Sua grandeza, mas a generosidade de nossa iniciativa e criatividade, de nossa ajuda e de nossa ternura por um Deus humilde. Assim agiu Jesus na sua aproximação de Pedro e do povo, que se julgavam pecadores, do Zaqueu perdido em sua riqueza, de Mateus em sua área de poder, da samaritana com seu balde d'água, e também em suas pequenas narrativas, pérolas em que resplandece este paradoxo da aproximação e da salvação divina: na parte de baixo, e portanto olhando para baixo, e que reconhecemos Deus e recebemos a glória de Sua *humildade*, de Sua *solidariedade* na *humildade humana*. Como os pastores de Belém, considerados impuros por trabalhar com animais, porém cercados de glória e canções celestiais (cf. Lc 2, 8 e segs.).

Logo se transformou em um emblema distintivo do cristianismo esta novidade que reverte o olhar para procurar Deus: "*Gloria maior Deus humilis*" ("A maior glória é um Deus humilde"). Os padres da Igreja faziam dessa maneira a distinção entre o Deus de Jesus e o Deus dos filósofos, apesar de a lógica dos filósofos sobre Deus ser fascinante: que Deus seja grande, imortal, onipotente, forte, intocável, irrepresentável, isso é lógica, é a imagem resultante da lógica do que deve ser divino, e contém uma verdade lógica sobre Deus e Sua glória, que se pode pensar filosoficamente. Mas que Deus seja pequeno, mortal, frágil, pobre e suplicante é glória ainda maior, e uma lógica diferente, uma experiência de grandeza e de poder de outra ordem, que não cabe na lógica filosófica. No mesmo sentido, o Papa atual, quando ainda era um jovem teólogo, no seu livro *Introducción al cristianismo*,[1] comentou um aforismo de Santo Inácio de Loyola, que ele recorda como epígrafe com a qual o poeta alemão Hölderlin ilustra seu romance *Hyperion*: *"Non coerceri maximo, contineri tamen a mínimo, divino est"* ("Não integrar o maior, mas deixar-se abranger pelo menor; isso é divino").[2]

Esse paradoxo da lógica filosófica precisa de um nome, de um lugar de experiência, e o encontramos reiteradamente em João: Deus não é uma ideia superlativa baseada na potência, nos conhecimentos e na riqueza que conhecemos neste mundo: "Deus é amor" (1 Jn 4, 8; 16). Embora se possa encontrar polissemia, isto é, múltiplos significados, inclusive contraditórios, na palavra "amor", cristão é quem aprende, como discípulo de Jesus, o que pode significar para Deus e para sua aproximação e revelação esta palavra: amor.

Se Deus amou tanto o mundo que deu Seu Filho único para salvá-lo, por essa mesma lógica Jesus ama e Se entrega para a salvação do mundo: "Ninguém tem maior amor do que aquele que dá a própria vida pelos seus amigos" (Jn 15, 13). Em primeiro lugar, portanto, estamos aqui ante a maravilha do modo pelo qual Deus Se revela. É uma modalidade de amor na qual ele renuncia a Si Próprio para nos dar espaço e para vir ao nosso encontro da maneira mais despojada e generosa, suscitando nosso "humanismo". É assim que Jesus, na iminência de Sua entrega, pode apresentar-se como "a luz

---

[1] *Introdução ao cristianismo*. São Paulo: Herder, 1970, p. 105.

[2] Essa frase visa a transmitir a imagem cristã da real grandeza de Deus. (N.T.)

2. A maneira como o mundo odeia se aproximar de Deus: o aspecto escandaloso

Em segundo lugar, o escândalo. Nossa pergunta inicial era intrigante: por que o mundo, que é Seu, que Ele ama e pelo qual dá a vida, não O reconhece nem recebe? O texto de João não nos deixa muita ilusão sobre a forma de proceder do mundo: em primeiro lugar, o mundo procura se emaranhar na lógica do poder, do espetáculo, da fama e, em última instância, da cobiça e da ganância. É o modo pelo qual os seus, os mais próximos a Jesus, ainda na Galileia, tratam de convencer Jesus a abandonar o lugar periférico e frequentar o centro: "Parte daqui e vai para a Judeia, para que os teus discípulos vejam as obras que fazes, porque ninguém que deseja ser conhecido publicamente realiza os seus feitos em segredo. Se fazes essas coisas, manifesta-te *ao mundo*" (Jn 7, 3-4).

Jesus lhes revela o oportunismo, os interesses de poder que os movem e que os fazem ser gente do mundo. Essa gente se dá bem no mundo, é amada pelo mundo, mas não Jesus, desprovido de interesse próprio e de oportunismo. Uma religião do espetáculo e do poder, de "carreirismo" e de vantagens pessoais, em última análise, uma religião da busca e do frenesi da propriedade, da apropriação, não é a religião de Jesus. Os sinópticos narram esse confronto com as tentações que Jesus sofre referentes à Sua missão, que é a do Servo do Senhor, nos limites de Sua humanidade e Sua radical humildade.

Essa incompatibilidade que provoca o ódio do mundo pode ser mais bem examinada no confronto entre Pilatos e Jesus, um confronto entre o poder e a arrogância sem verdade e sem justiça, de um lado, diante da verdade e da justiça sem poder. Ante o mundo de

Pilatos, o seu sistema de poder arbitrário sem considerar a inocência, Jesus confessa: "Meu reino não é deste mundo! Se fosse, meus ministros lutariam por mim, para impedir que eu fosse entregue aos judeus. Vim ao mundo para dar testemunho da verdade" (Jn 18, 36, 37). Nessa batalha totalmente desigual, Pilatos tem as características do "príncipe deste mundo", mas as armas de Jesus são o amor até o fim por esse mesmo mundo que o Santo Pai tanto amou. O único poder de Jesus, nesse calamitoso conflito, é o "Espírito da verdade" que o mundo "não pode receber porque não o vê nem o conhece" (Jn 14, 17). Por isso também não conhece a paz que pode advir dele, e só consegue organizar uma paz ao estilo de Pilatos, com a crueldade do poder para produzir vítimas e a armada do império, a encarnação do "príncipe deste mundo" (cf. Jn 14, 27).

Ao final, estamos diante do espetáculo, da tragédia de um mundo em trevas que não se deixa tocar pela luz, para que as obras da injustiça continuem sendo secretas, impunes e astutas, associando a verdade à injustiça (cf. Rm 1, 18b). As trevas são mascaradas pela fascinação do espetáculo, da celebração do poder e da abundância para os que seguem a lógica e o sistema do mundo, que inclui, nos porões, crucificações impostas a inocentes para continuar sendo o mundo. Mas, no fundo, é um mundo de ódio, que abomina a verdade e todos os sinais de outro mundo possível, ou seja, sinais de outra maneira de ser mundo.

Os sinópticos detalham a profundidade da rejeição, inclusive religiosa: não apenas o mundo político é intrigante como também, mais ainda, o são o mundo religioso, os líderes e as instituições religiosas, os esquemas dos praticantes da religião que viram em Jesus uma ameaça a ser eliminada. Paulo é categórico: "Não vos conformeis com os esquemas deste mundo" (cf. Rm 12, 2), embora nós, cristãos, "sejamos feitos espetáculo ao mundo" (1 Cor, 4, 9), espetáculo de sarcasmo e horror, como aconteceu com os mártires que não se conformaram com os métodos deste mundo injusto. Entretanto, é mesmo possível outro mundo, outro modo de ser mundo, como o sonho do Fórum Social Mundial?

3. A forma pela qual o mundo pode aproximar-se de Deus: outro mundo é possível

O que dissemos até agora parece tombar no abismo de um dualismo irreconciliável, famoso na refinada cultura ocidental. Mas não é necessariamente assim, nem são assim os desígnios de Deus, que *tanto amou o mundo,* e, portanto, a fé cristã não pode nem deve sucumbir a essa tentação de dualismo. Sabemos que este mundo, exatamente este mundo que odeia e mata os que dizem a verdade e os justos e inocentes, este mundo *vem* de Deus, e é *amado* por Ele, *apesar* do ódio. E, por amor a este mundo, Deus Se dá em Jesus, na Fragilidade, única força do amor puro. É assim que o amor vence o ódio e faz derrotar o príncipe[3] deste mundo. A vitória do inocente amante do mundo que foi injustamente executado pelo sistema fechado[4] de ódio do mundo consiste em *vencer sem causar vencidos.*

Quando os que ouviam Pedro escutaram suas palavras surpreendentes – "aquele que vós renegastes, o Justo a quem fizestes morrer, o Autor da Vida que entregastes a Pilatos, a ele Deus deu razão e ressuscitou" (At 3, 14 e segs.) – certamente se horrorizaram: "Agora vem a vingança divina, pois Deus é parte do que ocorrer." Pedro, porém, finalmente tomado pelo Espírito Santo, repete Jesus na cruz: "Eles não sabiam o que faziam, podem ser perdoados, afastando-nos da velha lógica do mundo, entrando na lógica do inocente crucificado" (cf. At 3, 17 e segs.). Esta é a vitória do martírio: *vencer sem causar vencidos.* Isso não parece possível, pois em cada vitória há vencedores e perdedores, mas entrar na lógica da vitória

---

[3] Satanás. (N.T.)

[4] Sistemas que ignoram o meio ambiente que os rodeia, pois são herméticos a qualquer influência ambiental. (N.T.)

que não acarreta perdedores é o único caminho possível para deter a violência trágica do mundo. É uma lógica do martírio, são o poder e a força da vítima em relação a seu algoz, a vítima que pode resgatar o carrasco e inaugurar outra lógica, outro mundo possível. É a maneira de não desprezar o mundo e, sim, de aproximar-se dele e resgatá-lo das vítimas, dos humilhados e esmagados por ele. É responder ao ódio com o poder do perdão e do amor exigente, à violência com a firmeza da paz, com a garantia de que há outra possibilidade de ser, de estar e viver neste mundo. Assim, podemos entender por que Jesus orou ao Pai para não retirar o Seu próprio mundo, para que nesse mundo eles testemunhassem a verdade. E aos discípulos, na mesma oração, embora conhecendo a lógica do ódio e da perseguição, do sofrimento e do martírio de inocentes, Jesus incentivou: "Coragem, eu venci o mundo" (Jn 16:33b). Nessa vitória sem derrotados, todos podem participar como vencedores, mas isso não é obrigatório; apenas *é possível outro mundo*, porque a verdade e o amor com que se liberta e se redime o mundo suscitam uma livre escolha, de maneira que é também possível permanecer e morrer em um mundo de ódio.

Nenhum encanto seduz e perturba a liberdade da lógica da Páscoa de Cristo. É um *convite* para a liberdade serena e pacífica de entrar na nova lógica, a lógica divina, que não se manifesta e está longe da ostentação. Se Deus, em Jesus, aproximou-se do mundo por meio dos excluídos, dos pobres, então sabemos o lugar exato não apenas de Sua revelação, mas também onde começa o novo mundo possível: no reconhecimento, na aceitação e na ajuda aos mais carentes, na luta pela vida daqueles que são menos favorecidos, em que o próprio Deus está no mundo. Obviamente, essa é uma vocação arriscada, especialmente para a Igreja dos discípulos de Jesus.

Termino minha intervenção recordando um fato quase despercebido quando da escolha de João Paulo I. Entrevistado em seguida, ele disse com humor aos jornalistas que a história da Igreja não é exatamente a história dos papas, mas a história dos santos. É verdade que existem santos entre os papas, embora não sejam todos. O que João Paulo I queria dizer era mais complexo: não é a instituição nem aqueles que a representam que são o cerne da Igreja, o fio de ouro da história da Igreja, e, sim, os que amam e dão a vida pelo mundo.

Para finalizar, relembro também que, no início da década de 1980, quando eu estudava na Universidade Gregoriana de Roma, caiu-me nas mãos um folheto que informava sobre os sofrimentos na América Latina, principalmente nos países da América Central, naquele exato momento. Essa afirmação podia ser lida no final de uma página: "São centenas de leigos, catequistas, pastores da palavra, militantes cristãos, padres... mártires dos nossos tempos." Um colega de estudo, ao tomar conhecimento dessa declaração, levantou uma dúvida: "São mártires ou, melhor dizendo, *imprudentes?*"

Evidentemente, minha reação foi imediata: "Com prudência, Jesus teria morrido velho na cama e não na cruz." A prudência é uma virtude humana e, claro, cristã, mas também pode ser uma atitude dos filhos das trevas, em que se calar e se esconder é ser infiel e trair. Há situações nas quais a fidelidade é chamada a superar o que parece imprudência. Isso me incitou a fazer mais: voltar a Santo Agostinho, quando ele trata de distinguir o martírio do suicídio.[5]

Não é uma curiosidade mental, é um esclarecimento importante quando persistem dúvidas sobre a verdade e a qualidade, e principalmente sobre o valor do testemunho com a perda da vida. De fato, Santo Agostinho, ante a nobre herança dos estoicos, de um lado, e a herança de anos e anos de mártires cristãos, de outro, lembra que os estoicos consideram o suicídio, tirar a própria vida, ou melhor, desprender-se e despedir-se da vida, como a mais elevada virtude quando não vale mais a pena viver, ou seja, como diríamos

---

[5] Cf. também Paul Tillich, *Coragem de ser*. Rio de Janeiro: Paz e Terra, 1972.

hoje, quando não há mais "qualidade de vida", inclusive vida política, como foram os casos de Sócrates e de Sêneca.

Os mártires, pelo contrário, ainda em pleno vigor da vida, *não se matam: dão a vida*. Morrem pelo que vale a pena viver, e tão lealmente que, se é verdade que por isso vale a pena viver, também por isso mesmo vale a pena morrer. Afinal, Santo Agostinho afirma que o gesto dos estoicos não é um gesto de coragem, como eles ensinavam, mas de covardia. Hoje sabemos de complicações, especialmente de caráter psicológico, que não nos permitem rotular o suicídio como ato de covardia, mas é certo que é um gesto de "sair de cena", de trágica perda. Os mártires, pelo contrário – é preciso ressaltar Santo Agostinho –, são amantes da vida e de tudo que signifique verdadeiramente vida, uma vez que só vale autenticamente a pena viver pelo que vale a pena morrer, e vice-versa, pois ir vivendo e ir morrendo é ontologicamente o mesmo.

E por isso são mártires: porque amaram o mundo e por ele deram intensa e firmemente a vida. Esta é a forma como seguiram Jesus: amaram com fidelidade um mundo que os odiou e não se calaram; prestaram testemunho da verdade a esse mundo sem medo de que os pudessem matar; e o mundo, não eles, tirou-lhes a vida do corpo. Contudo, como monsenhor Oscar Romero e centenas de mártires de nosso tempo, vivem no testemunho, no amor com que Deus ama e resgata este mundo. Isso é ser cristão, é ser do Reino vitorioso de Jesus, que vence o ódio do mundo, rompendo o círculo fechado do ódio no exato momento da entrega e aparente vitória do ódio. É como o próprio mundo pode ser salvo na Páscoa dos mártires, inaugurando, com sinais muito próximos, o outro mundo possível.

Monsenhor Romero: conversão e esperança
"Outra Igreja é necessária. Outra Igreja é possível."

Jon Sobrino*

Nesta palestra, vou expor algumas reflexões sobre a Igreja atual e sobre monsenhor Romero.

Na primeira parte eu me concentrarei "na Igreja", tal como ela é entendida convencionalmente na linguagem cotidiana. É a Igreja oficial, hierárquica, na qual vivem muitas pessoas batizadas, umas por tradição, outras por convicção. Considerada na sua totalidade, não se pode negar um retrocesso, que expressa uma deterioração, um retrocesso da Igreja universal com relação ao Concílio Vaticano II, da Igreja latino-americana com relação a Medellín, da Igreja salvadorenha com relação a monsenhor Romero. Nesse contexto, começamos com a análise de que, antes de tudo, "outra Igreja é necessária", deixando para um momento posterior o que se costuma afirmar com a frase de efeito, hoje habitual: "outra Igreja é possível".

Na reflexão, analisaremos com seriedade a temática do terceiro dia do Congresso: "espiritualidade e martírio". "Espiritualidade" remete a *conversão e esperança* como perspectiva geral do Congresso. Por sua urgência, falaremos mais da *conversão*, a qual bem pode começar com a esperança de que "a conversão é possível".

"Martírio" normalmente remete a assassinato por causa da justiça, como acontecia há alguns anos, mas continua sendo importante

---

* Sacerdote e teólogo jesuíta espanhol que vive em São Salvador e é um dos expoentes da Teoria da Libertação. (N.T.)

considerar o âmbito que cerca o martírio: *estar prontos a arriscar e não fugir do conflito* para defender da injustiça pobres e vítimas. E estar prontos para *sofrer as consequências*, tanto no mundo como no interior da Igreja. Isso, certamente, seria um sinal de que a conversão foi levada a sério.

Em uma segunda parte, recordaremos monsenhor Romero. Graças a Deus, ele é muito conhecido como pastor, profeta e mártir, mas faço questão de ressaltar algo que as pessoas costumam esquecer ou que é dado como certo, com excessiva facilidade: monsenhor Romero passou por um processo de conversão que o transformou em um bispo radicalmente diferente. É preciso explicar o que entendemos por "conversão", mas insistimos nisso, pois sem uma séria atitude de conversão – institucional e pessoal – dificilmente se fará realidade essa outra Igreja necessária e desejada. Na atual situação, não basta lamentar-se, reclamar do retrocesso com respeito ao Concílio de Medellín e querer voltar a isso. Essas atitudes só poderiam expressar um aburguesamento, como se a mudança desejada pudesse realizar-se sem esforço e sem uma conversão própria, deixando que outros, especialmente a hierarquia, carregassem o peso da mudança. E continua sendo necessário e nossa principal esperança que a Igreja hierárquica ofereça um exemplo de conversão.[1]

1. "Outra Igreja é necessária." Retrocesso e deterioração

Existem coisas boas na Igreja. Nas sociedades secularizadas, há exemplos admiráveis de fé autêntica em meio a desertos de descrença, nos quais, embora menos extensa, a fé costuma ser mais profunda

---

[1] Pode-se discutir o que tem prioridade lógica, se a conversão ou a esperança, o *metanoiete* (transliteração do termo grego para "se arrepender", transformar totalmente a vida) ou o *pisteuete en to euagglio* ("arrependa-se e acredite no Evangelho") de Mc 1, 14, ou se existencialmente ambas as coisas se relacionam. Neste artigo começamos com a necessidade de conversão.

Monsenhor Romero: conversão e esperança ⚜ 111

do que antes. Em nossos lares, símbolos recentes das características evangélicas são a reunião em memória de Leônidas Proaño no Equador; em Chiapas, a celebração com Dom Samuel Ruiz, e o aniversário de monsenhor Romero. E é admirável a vida, especialmente a resistência ante o sofrimento e a pobreza, o trabalho, a entrega, a solidariedade, a esperança e a fé de inumeráveis crentes e comunidades, de pobres e pessoas simples, na maioria das vezes. Com frequência não encontram apoio na Igreja oficial e precisam nadar contra a corrente. Mesmo assim, não desistem. Sendo isso verdade, muitos denunciam o retrocesso e a deterioração. Abordam o problema de forma estrutural, não pessoal, e responsabilizam principalmente a instituição – mais concretamente, o poder das cúrias romanas.[2]

No começo do ano, divulgou-se uma carta a Bento XVI enviada pelo padre P. Henri Boulard, jesuíta egípcio-libanês[3] de 78 anos: "Tem-se a impressão de que a instituição asfixia o carisma e que aquilo que realmente importa é uma estabilidade puramente exterior, uma honestidade superficial, uma certa fachada." O que mais chama atenção na carta é a surpreendente sinceridade: "Nós lhes damos pedras como se fossem pão." A urgência: "Faltam apenas cinco minutos!" E o severo julgamento pela boca de Jesus: "Não corremos o risco de que um dia Jesus nos trate como 'sepulcros caiados'?" A carta reivindica "a convocatória de um sínodo geral no nível da Igreja universal no qual participassem todos os cristãos, católicos e outros".[4]

José Antonio Pagola, autor do esplêndido livro *Jesús. Aproximación historica*, reclama "do restauracionismo ao qual a hierarquia

---

[2] "O problema não são os papas, que são criaturas de boa vontade – e alguns de grande valor, como Paulo VI e João XXIII –, mas a cúria." J. I. González Faus. *Religión digital*, abr. 2010.

[3] Reformador, reitor do colégio dos jesuítas no Cairo. (N.T.)

[4] O texto apareceu na *Carta a las Iglesias*, São Salvador 598, fev. 2010, p. 13-16.

parece dirigir-se cada vez mais". E, ao concluir, aponta para um problema ainda mais grave, e que não é apenas regional: "Necessitamos urgentemente mobilizar-nos e reunir forças para que a Igreja se concentre em mais verdade e fidelidade na pessoa de Jesus, e no seu projeto do reino de Deus. Será preciso fazermos muitas coisas, mas nenhuma delas mais decisiva do que essa conversão."[5]

Em El Salvador, enfatizam-se as palavras comedidas, mas sérias, de monsenhor Orlando Cabrera, bispo de Santiago de María. Na apresentação de um livro sobre sacerdotes assassinados em El Salvador – sem contar os jesuítas da UCA[6] –, nove diocesanos salvadorenhos, um franciscano italiano e um bispo salvadorenho, disse monsenhor Joaquín Ramos: "Devemos reconhecer humildemente que a Igreja perdeu muito de sua função profética, como afirmam os autores deste livro. É um vazio que atinge o povo de Deus."[7]

Esta é a grande deterioração: "pedras como se fossem pão", "vazio palpável", "hierarquia restauracionista" e principalmente o fato de a Igreja fixar-se em torno de "um centro que não é Jesus e Seu reino". A conclusão é que hoje os problemas mais graves da Igreja não chegam à Igreja de fora, como aconteceu na América Latina depois de Medellín – embora a desumanização que produz *a civilização da riqueza* também dificulte manter na Igreja um cristianismo de qualidade –, mas ocorrem internamente. Isso se deve substancialmente à deterioração institucional, facilitada por sua configuração hierár-

---

[5] Entrevista ao jornal digital *Religión Digital*, de 16 de março de 2010. Nesses dias, com a explosão do escândalo da pederastia, tornaram-se mais fortes os protestos, graves e bem argumentados, sobre a crise da Igreja. Além das circunstâncias, apontam-se coisas fundamentais. Disse José Maria Castillo: "O poder da Igreja atual me provoca lástima e coragem." J. I. González Faus: "A Igreja hoje nomeia seus bispos contra o Evangelho", ambos em *Religión Digital* de abril de 2010. Hans Küng, em uma carta dirigida a todos os bispos, insiste na deplorável situação da Igreja. *El País*, 15 de abril de 2010.

[6] Universidad Centroamericana de El Salvador. (N.T.)

[7] *Testigos de la fe en El Salvador. Nuestros sacerdotes y seminaristas diocesanos mártires 1977-1993.* São Salvador, 2007, p. 7.

quica. Há intenções de coibi-la, como aconteceu em Aparecida, mas elas não têm sido suficientes.

A seguir, vamos analisar o retrocesso, na prática e também na teoria, de duas formas de se autocompreender e de ser Igreja.

1.1. Retrocesso com respeito ao Concílio: "o povo de Deus"

Depois de um silêncio de séculos, o Concílio proclamou que a Igreja é "o povo de Deus". Superaram-se visões pouco evangélicas da Igreja, como a de uma *sociedade perfeita*, ou pouco históricas, como a de um *corpo místico*. Além disso, propiciou-se um espírito eclesial positivo, fruto da maior proximidade com o Evangelho.

Na Igreja, havia ilusão, mas, ao analisar o retrocesso, não se pode ignorar que ser realmente "o povo de Deus" demanda grande esforço. É sempre difícil aceitar as dificuldades inerentes à metáfora "povo": caminhar sem se deter, algumas vezes pelo deserto, outras entre conflitos, à procura de um objetivo que nunca se alcança adequadamente, do qual nem sequer se vislumbra o horizonte. É a humildade do ato de caminhar.

E significou também – o que é mais radical – referir-se ao mistério absoluto sem muitos apoios que haviam sido tradicionais, e caminhar até ele sem medo. O Deus "de um povo" não é um Deus estático, e, sim, que "se movimenta".[8] Embora o acesso a Deus nunca seja fácil, o Deus do culto é mais acessível do que o Deus que se movimenta. Ante esse Deus, o povo não pode deixar de caminhar, e ante Ele é preciso estarmos sempre disponíveis para percorrer novos caminhos.

---

[8] A teologia latino-americana insistiu em um lugar onde Deus está quase *ex opere operato* (expressão latina que significa "a partir do trabalho feito", referindo-se à eficácia dos Sacramentos): os pobres. Nesse caso, o problema não é apenas *procurar* Deus, mas procurá-lo *onde* Ele disse que estava, e *permanecer* nesse lugar.

Esse Deus, sempre maior e inovador, no cristianismo é também menor. O caminhar cristão – praticando a justiça e amando com ternura (Mi 6, 8) – leva à cruz, como a Jesus. E lá Deus não é apenas um Deus "com os homens" e um Deus "para os homens": ele é um Deus "à mercê dos homens". Caminhar com e até esse Deus não é fácil: é estar sempre em um caminho que tem muito da via-crúcis.

Com isso, queremos indicar que "povo de Deus" é um conceito *eclesiológico*, mas com forte carga *teologal* [9] e de espiritualidade. Seu redescobrimento foi exigente, como vimos, mas foi também, e principalmente, prazeroso. Uma Igreja revestida de "povo de Deus" facilita a dinâmica de "apoiarem-se uns aos outros" na história. E nisso podem ajudar bispos e hierarcas quando, com o exemplo, estando acima e unidos aos de baixo, impulsionam todo o povo de Deus. Assim agia monsenhor Romero.

No dia a dia, o que mais dificulta atualmente que a Igreja seja o povo de Deus é o retrocesso com respeito ao Concílio, e voltar a entronizar a tradição de séculos, vertical e autoritária, oposta à dimensão "democrática". Isso não significa simplesmente o desejo de acabarmos todos na ágora,[10] o que não seria mal, mas acabar ao redor de uma mesa compartilhada: a igualdade fundamental de todos e todas em dignidade e na possibilidade da qualidade cristã.

Historicamente, isso é difícil para os que desejam mandar e impor-se, e também para os que preferem submeter-se e evitar a insegurança, a responsabilidade e o risco. Hoje em dia, o mais prejudicial para o povo de Deus é o *excesso* de hierarquia com *potestas* (poder sagrado), apresentado como criado e exigido por Deus, de modo que o *ser-com-poder* e o *ter-mais-poder-que-outros* outorgados

---

[9] Que tem Deus por objeto. (N.T.)

[10] Palavra de origem grega, indica um espaço livre de edificações, sendo um espaço público por excelência, onde ocorrem as manifestações populares, onde os cidadãos tinham – e têm – igual voz e direito a voto.

pela ordenação ministerial se convertam em uma segunda natureza. De maneira oposta, o *déficit* de palavras e liberdade dos membros não hierárquicos da Igreja, de igualdade na dignidade da hierarquia e seus subordinados, é claro e, às vezes, irrefutável. Além de usar um ou outro termo, trata-se da dificuldade de aceitar a realidade *democracia* como dimensão essencial à realidade *Igreja, como* realidade coletiva que é.

À exceção dos primeiros séculos, a Igreja como "povo de Deus" não tem logrado muito êxito. Foi mérito do Concílio Vaticano II voltar a introduzir esse conceito na consciência eclesial e a tirar conclusões: todos aqueles que são batizados formam parte do corpo com a mesma dignidade; todos são sacerdotes – embora insistindo em que exista uma diferença básica, não de grau, pois isso não vem de encontro ao conceito de *povo* – e todos são portadores de carisma. A verdade da fé é transmitida ao vivo à totalidade dos crentes, e o mais inovador é que, ao menos na teoria, a hierarquia, o poder sagrado, deixa de ser eficazmente o centro e a última referência da Igreja. É bem conhecido, e muito pouco levado em conta, que na Lumen Gentium,[11] antes do capítulo terceiro sobre *hierarquia*, está o capítulo segundo, sobre o *povo de Deus.* O problema hermenêutico[12] fundamental para compreender a realidade da Igreja é qual desses capítulos se deve entender baseado no outro. Lamentavelmente, na prática não se entende a hierarquia a partir do povo de Deus, mas este a partir daquela, e essa interpretação conta com o peso de séculos a seu favor.

E não apenas isso. Depois do Vaticano II logo começou o declínio do "povo de Deus", inclusive no conceito. No sínodo extraordinário

---

[11] Significa Luz dos Povos. É um dos principais textos do Concílio Vaticano II, e seu tema enfoca a natureza e a constituição da Igreja, não só como instituição, mas também como Corpo místico de Cristo. O texto definitivo foi aprovado em 21 de novembro de 1964 e promulgado como Constituição pelo Papa Paulo VI. (N.T.)

[12] Ciência que interpreta textos religiosos ou filosóficos. (N.T.)

dos bispos em 1985, o então cardeal Joseph Ratzinger disse que o conceito era perigoso, por suas conotações sociológicas. Como alternativa, propôs o conceito *communio* para definir a essência da Igreja, o que o sínodo assim explicou: "Fundamentalmente se trata da comunhão com Deus por Jesus Cristo no Espírito Santo" (II C 1). Isso é correto, mas não explicita como *historiar* essa comunhão, e por isso é perigoso.

Há muitos anos, J. Moltmann[13] se perguntou: "Onde se encontra a *verdadeira* Igreja: na comunidade manifestada através da palavra e do sacramento ou na fraternidade latente do juiz universal oculto nos pobres?" Evidentemente, não é uma alternativa, mas é importante manter essa pergunta, porque pôr Mt 25 no centro da Igreja é tudo menos evidente e, sem fazê-lo, não existe a comunhão com Jesus.

Com monsenhor Romero, a Igreja foi *comunhão* ao redor dos crucificados, e isso não dificultou, ao contrário, facilitou compreender a Igreja como povo de Deus. E é decisivo levar a sério que pôr no centro os crucificados sempre foi o melhor antídoto contra o perigo de aburguesamento que também ameaça – como a todos – o povo de Deus. Por aburguesamento entendemos aqui insistir em "nossos" direitos eclesiais, garantidos por sermos membros do povo de Deus. Contudo, sendo isso verdade, é mais prioritário aceitar, com profundidade humana e evangélica, que "ante os crucificados não temos direitos". Podemos rebelar-nos, com razão, contra uma autoridade que nos oprime e priva de direitos e dignidade, mas não podemos escapar "à frágil autoridade dos que sofrem" (J. B. Metz). Povo de Deus e comunhão ao redor dos crucificados não se excluem; se potencializam.

---

[13] Teólogo alemão. No seu principal livro – *Teologia da esperança* –, abre um diálogo entre seus fundamentos eclesiológicos e a práxis pastoral. (N.T.)

1.2. Retrocesso referente a Medellín: a "Igreja dos pobres"

O "povo de Deus" do Vaticano II não é hoje em dia levado a sério,[14] e isso ocorre ainda menos com a "Igreja dos pobres". Suas origens se encontram na ilusão de João XXIII: a de que o Concílio proclame que a Igreja é "a Igreja dos pobres".[15] O cardeal Lercaro fez um discurso emotivo e lúcido a favor disso, no final da primeira reunião em 1962. E monsenhor Himmer, bispo de Tournai,[16] disse: "*Primus locus in ecclesia pauperibus reserbandus est* [17]". Entretanto, da Igreja dos pobres não figurou nenhuma passagem importante nos textos do Concílio.

Não obstante, vários bispos, entre os quais um número significativo de latino-americanos, logo perceberam que para a maioria dos padres do Concílio era desconhecido o tema de uma Igreja mobilizada para os pobres deste mundo, para a pobreza, e sem poder. E, seguindo a inspiração de João XXIII, reuniam-se confidencial e periodicamente no Hotel Domus Mariae, nos arredores de Roma, para discutir "a pobreza da Igreja".

Poucos dias antes do encerramento do Concílio, cerca de 40 padres que dele participavam celebraram uma Eucaristia nas Catacumbas de Santa Domitila.[18] Propuseram-se "ser fiéis ao espírito de Jesus", e ao terminar a celebração assinaram o documento que chama-

---

[14] Daí as numerosas críticas e exigências de se voltar ao Vaticano II. Na Itália, a Fundação Ambrosianum criou um portal na internet "com o propósito de relançar o Concílio Vaticano II". Entre seus promotores figuram preeminentes personalidades eclesiais: os cardeais Carlo Maria Montini, Roberto Tucci, Roger Etxegaray, Silvano Iovanelli, Achille Silvestrini, Dionigi Tettamanzi, e uma vintena de bispos.

[15] "Frente aos países subdesenvolvidos, isto é, frente à pobreza no mundo, a Igreja é e quer ser uma realidade germinal e um projeto, a Igreja de todos e, particularmente, a Igreja dos pobres". *Radiomensaje*, de 11 de setembro de 1962.

[16] Cidade belga. (N.T.)

[17] "Em primeiro lugar na Igreja estão os pobres." (N.T.)

[18] Uma das maiores de Roma. (N.T.)

ram de "Pacto das catacumbas": uma Igreja servidora e pobre. Um dos incentivadores do pacto foi o brasileiro Dom Helder Câmara.

O pacto era um desafio aos "irmãos do episcopado": de levar uma "vida de pobreza" e trabalhar para uma Igreja "servidora e pobre". Os signatários – entre eles muitos latino-americanos, aos quais se juntaram outros – comprometeram-se a viver na pobreza, a rejeitar todos os símbolos ou privilégios de poder e a colocar os pobres no centro de seu ministério pastoral. O texto é singular e exerceu forte influência na Teologia da Libertação. Começa assim:

> Nós, bispos, reunidos no Concílio Vaticano II, conscientes das deficiências de nossa vida de pobreza segundo o Evangelho, motivados uns pelos outros em uma iniciativa em que cada um de nós evitou sobressair e mostrar presunção, unidos a todos os nossos irmãos no episcopado, contando, principalmente, com a graça e a força de Nosso Senhor Jesus Cristo, com a oração dos fiéis e dos sacerdotes de nossas respectivas dioceses, colocando nosso pensamento e nossa oração ante a Trindade de Deus, ante a Igreja de Cristo e ante os sacerdotes e os fiéis de nossas dioceses, com humildade e com a consciência de nossa fraqueza, mas também com toda a determinação e toda a força que Deus nos quer dar como graça Sua, nós nos comprometemos com o seguinte.

E enumeram seu compromisso em 13 pontos, todos eles centralizados em viver "na pobreza e sem poder".[19]

A ideia e o compromisso foram reunidos por Medellín no capítulo "Pobreza da Igreja", no qual os bispos se perguntam a cerca de sua própria pobreza e a de suas igrejas. E, baseados na verdadeira pobreza e na opressão em que viviam, as maiorias do continente se pronunciaram sobre a missão da Igreja nos dois capítulos inaugurais sobre "Justiça" e "Paz".

---

[19] O texto integral pode ser lido na *Carta a las Iglesias* 590, jun. 2009, p. 6-8.

Também em relação à "Igreja dos pobres", reconhecida pelos bispos de Medellín, houve um retrocesso, o que não é surpreendente. A diferença do Concílio, por fazer dos pobres e de sua libertação o tema central, teve contra esse assunto, desde o princípio, os poderes econômicos, militares, policiais e, em grande parte, também os da mídia do continente. Lembremos o relatório Rockefeller de 1968 sobre as Américas, o documento da reunião de Santa Fé de 1980, as reuniões de militares no Cone Sul na década de 1980. Foram campanhas cruéis, com as quais algumas vezes concordou, por ação e principalmente por omissão, parte da Igreja institucional. Foram campanhas duradouras, nas quais a Igreja se manteve fiel a Medellín. Dito isso, é essencial recordar e insistir em que foram também épocas de martírio, aquelas em que mais se discutiu Jesus Cristo na Igreja. Voltaremos a esse tema.

Do ponto de vista cristão, entretanto, mais grave do que a perseguição de fora foi a que ocorreu no interior da Igreja institucional. Compreensivelmente, a entidade se assustou com a perseguição desencadeada ao pôr em execução as providências aprovadas em Medellín. E a Igreja também encarou Medellín com temor, e muitos bispos preeminentes – além da Teologia da Libertação – concederam vida adulta e liberdade aos cristãos para obedecer a Deus e defender os pobres. O tradicional poder unilateral da hierarquia cambaleou e foi julgado um grave mal.

Já nos anos 1970, parte importante da alta hierarquia declarou guerra a Medellín. Puebla o manteve com dignidade, mas em Santo Domingo o esquecimento de Medellín ficou evidente. "A Igreja oficial começou a não ter o que dizer", comentou Comblin.[20] E quando mencionava Medellín, dizia: "*Words, words, words*[21]". Apesar de

---

[20] José Comblin, sacerdote e missionário belga, teólogo da Teologia da Libertação. (N.T.)

[21] "Palavras, palavras, palavras", referindo-se às homilias do Papa João Paulo II, que pouco se referiam à ação da Igreja pelos pobres. (N.T.)

sua deficiente cristologia,[22] Aparecida impôs um freio ao retrocesso, coisa que Comblin também reconhece: "Os bispos reuniram as aspirações da minoria mais sensível aos sinais dos tempos. O documento final constitui motivo de esperança renovada para os idosos, e oferece aos jovens algumas diretrizes bem definidas."[23] Contudo, isso foi feito sem o vigor de Medellín.

Também em El Salvador houve um nítido retrocesso com relação à Igreja de monsenhor Romero, embora, apesar das dificuldades, muitas pessoas e comunidades continuem a manter sua herança e a discuti-la.

Se considerarmos que a situação é essa, é evidente que são necessárias mudanças, mas não quaisquer mudanças; é preciso que signifiquem "ruptura", ideia certamente já presente, embora em outro contexto, na teologia referente a Medellín: a libertação não foi compreendida como progresso paulatino e sem ônus, ao contrário do que aconteceu com o *desenvolvimento*. A libertação pressupunha uma "ruptura".

Na linguagem cristã, essa ruptura se chama "conversão", e é fundamental entender seu significado e manter sua necessidade, especialmente hoje em dia,[24] quando ela é apenas mencionada, e certamente não com respeito à Igreja como totalidade.

1.3. A necessidade de "conversão". "Voltar às fontes de águas vivas"

Bento XVI reclamou do "utopismo anárquico" que se apossou de alguns depois do Concílio, como se na Igreja tudo tivesse de ser novo. Admitindo-se que houve certos casos desse fenômeno exagerado,

---

[22] Estudo da personalidade, história e doutrina de Cristo. (N.T.)

[23] "El proyecto de Aparecida". *Revista Latinoamericana de Teología* 72, 2007, p. 282.

[24] Em Puebla, no contexto da opção pelos pobres, o termo aparece seis vezes, como conversão de cada cristão e da Igreja.

não foi o que mais se verificou na realidade; houve, ao contrário, um retrocesso premeditado e planejado com respeito aos impulsos dos padres conciliares e dos padres da Igreja latino-americana. Já exemplificamos esse fato com o que aconteceu com o "povo de Deus" e com a "Igreja dos pobres". Entretanto, o mais grave, embora não se costume usar essas palavras, consiste em frear o impulso de voltar ao Jesus do Evangelho, na pobreza e sem poder, isto é, ao que Medellín propiciou, e a seu seguimento após dar a vida. A isso chamamos retrocesso fundamental, e para superá-lo não se necessita de qualquer reforma, mas de conversão.

Para compreender melhor essa necessidade, recordemos que nos profetas a *conversão* aparece como um "recuo", deixar de fazer o mal que se fez. Mas aparece também, como queremos ressaltar, como um "caminhar" para as "fontes de águas vivas" quando outras fontes se mostraram incapazes de saciar a sede. É preciso ir a essas fontes de águas vivas, onde quer que se encontrem. E ao encontrá-las, e não aparecerem outras melhores no presente, aí a "conversão" é, em grande parte, "voltar às fontes de outrora". Entre nós isso significa voltar a Medellín e voltar a monsenhor Romero. Continuam sendo "fontes de águas vivas", e não se veem outras com tamanha vitalidade evangélica.

A meu ver, a razão é que em Medellín aconteceu uma invasão súbita, fundamental e formadora do lado humano e do cristão. Foi a irrupção dos *pobres* e de *Deus* neles. Essa irrupção acontece raras vezes com tamanho vigor.

Isso criou uma nova Igreja, comunidades, bispos e sacerdotes, vida religiosa, seminários, movimentos de laicos e laicas, teologia, pastoral e liturgia. E nessa irrupção se recuperou Jesus de Nazaré, ele que por anos havia permanecido esquecido, disfarçado, escondido como resultado de muita piedade, às vezes com boa vontade, mas sem referência à história; outras vezes, sequestrado ativamente de modo que Jesus não interpelasse os opressores. Com boas intenções ou com artifícios, isso acontecia também na Igreja.

Em El Salvador, esse surgimento impetuoso ocorreu com força inusitada com monsenhor Romero junto a uma plêiade de mártires: 16 sacerdotes e um bispo, além do monsenhor, cinco religiosas e milhares de camponeses e camponesas, operários, estudantes, jornalistas, advogados, médicos e alguns outros profissionais. Nunca havia acontecido coisa igual. E creio que graças a esses mártires foi mais difícil encobrir e ocultar os vestígios de Jesus, embora, consciente ou inconscientemente, isso tenha sido tentado. O que chamamos de "irrupção" significou que a Igreja se fez portadora mais do "evangelho" que da "religião", da forma como José Comblin nos explicou esses conceitos.

Dito isso, é claro que Medellín deve ser historiado, o que ocorre bastante na América Latina. Quem hoje continua se inspirando em Medellín compreende os "pobres" de maneira mais abrangente, embora isso não garanta por si só que opte pelos pobres com maior profundidade espiritual. Para evitar uma concentração exclusivamente econômica, Gustavo Gutiérrez fala dos "insignificantes". Nós escrevemos que pobres são "os que não dão a vida como algo certo" e, dialeticamente, "os que têm (quase) todos os poderes contra si". Hoje, os pobres também surgem como "excluídos", "indígenas e afro-americanos", "emigrantes e ilegais", e cada vez mais como "mulheres e crianças". Irrompe também a "mãe terra", cuja morte ecológica leva à morte histórica de seus filhos. O "Deus" que irrompe continua sendo o de Jesus, hoje com aproximação mais explícita do Deus de outras religiões.

Essa historialização – e muitas outras – é necessária, mas não torna Medellín obsoleto, pois o fundamental, também hoje, é que haja uma invasão repentina dos pobres e oprimidos, assim como um Jesus que acabou crucificado por defendê-los. Neles e junto a eles continua irrompendo o mistério de Deus. E deve-se recordar que isso não foi uma invenção de Medellín, mas uma recriação maravilhosa do surgimento impetuoso de Deus, da qual já falavam os profetas. Em Isaías e Amós "os oprimidos" estão sempre no centro da relação entre os seres humanos e Deus. Isso unifica todos os oráculos. Na sua realidade histórica e dialética, os pobres, como produtos dos opressores, sempre são – e, portanto, também agora – o lugar teofânico[25] por excelência.

"Voltar" ao Concílio, a Medellín, a monsenhor Romero é um modo de formular a necessidade de *conversão da Igreja* como um fato, e de *indicar conteúdos fundamentais* que a configurem teológica, cristológica e evangelicamente. "Voltar" nada tem de nostalgia nem de ingenuidade. Considerando-se as mudanças históricas e de paradigmas, é evidente que nenhuma tentativa de imitação é sensata, além de não ser possível. E para uma fé utópica tampouco é desejável, pois faria desaparecer o elemento de novidade essencial da esperança. Mas não é um desatino, embora seja preciso historiar adequadamente não qualquer coisa, mas aquilo que foi fundamental para o surgimento inesperado. E se, apesar de tudo, produz inquietação a proposta de "voltar" a Medellín, talvez as reflexões seguintes sejam oportunas:

1. Excetuando-se as distâncias, desatino igual ou maior seria pedir a "volta à Páscoa de Jesus", principalmente ao "crucificado". Efetivamente, isso acontece com grande dificuldade, não por ser coisa do "passado", mas por ser a "cruz". O mesmo acontece com Medellín: não se trata de voltar ao passado, mas de voltar aos pobres e oprimidos, que costumam carregar a cruz, embora ela hoje em dia não seja como a de outrora.

2. Ao sonhar com um futuro melhor, os profetas remetem ao passado, mais uma vez não por ser o passado, mas por ser o "princípio" que deu início às realidades que salvam. Assim, falam de um "novo" êxodo, recordando a realidade e as exigências que acompanharam o "antigo" êxodo: a proximidade de Deus e a

---

[25] De manifestação de Deus. (N.T.)

libertação, por um lado, exigências de justiça e fraternidade para o povo, e, por outro, a luta contra os ídolos que exigem vítimas para poder sobreviver.

3. Nunca, que eu saiba, como em Medellín – e acredito que mais ainda com monsenhor Romero –, a Igreja superou com eficácia as crises mais graves que a ameaçaram desde o princípio: o *docetismo*,[26] isto é, a *irrealidade* de Jesus haver existido no mundo, e o *gnosticismo*, ou seja, a *irrealidade* de oferecer salvação,[27] que leva ao mundo do conhecimento esotérico e individual, tentação que Marcos percebeu nitidamente, e por isso apresentou um Jesus indubitavelmente "real". Acho que nem sequer no Concílio, tão importante em muitíssimos capítulos, a Igreja foi uma *realidade tão real* como em Medellín e com monsenhor Romero. Ambos chamam veementemente atenção contra o distanciamento da realidade conflitante, contra a solenidade que se apoderou do modo de aparecer da Igreja – e que se comunica com naturalidade pela mídia –, com o que se pode crescer em número, mas não em qualidade cristã. E contra oferecer alívio em meio a uma vida de sofrimentos, mas sem comprometer-se a erradicar a injustiça que, em grande parte, é por eles responsável.

4. Em El Salvador, depois de monsenhor Romero, proliferaram os movimentos espiritualistas, muitas vezes infantilizantes, e outros fundamentalistas e egoístas, valorizando os bens materiais e a opulência, disponíveis apenas para poucos. Mantém-se a religiosidade ao redor de algum Cristo, mas o Jesus do Evangelho,

---

[26] Doutrina herética dos séculos II e III que negava a existência de um corpo material a Jesus Cristo, que seria apenas um espírito. (N.T.)

[27] Segundo W. Kasper , ante a gnose, "movimento espiritual que ameaçou em sua substância a essência da fé cristã", a Igreja "sucumbiu talvez na crise mais profunda que jamais teve de superar, e que foi muito mais perigosa do que a perseguição exterior dos primeiros séculos". *Jesús, el Cristo*. Salamanca, 1976, p. 243. (N.T.)

o que assumiu com força em Medellín como libertador, com frequência transmite a impressão de haver desaparecido; pior ainda, é como se ele tivesse sido escondido. E quando se recorda que naqueles anos esteve presente entre nós "o Jesus histórico", não falta quem – em outra linguagem – diga sobre o grande inquisidor: "Senhor, vá embora e não volte nunca mais." Para superar cristologias sem Jesus, que chegam a ser anticristologias, vai ajudar muito retornar a Medellín.

Parece-me que esse é o problema fundamental ao se falar que "outra Igreja é necessária": recuperar uma Igreja com Jesus de Nazaré como essência e, com ele, os pobres deste mundo.

2. "Outra Igreja é possível." A conversão de e a partir de monsenhor Romero

Seria simplismo perguntar que faria hoje monsenhor Romero ante o retrocesso e o declínio eclesiais, mas, para manter a esperança de que outra Igreja é possível, ajudará muito saber sua reação, uma vez eleito arcebispo de São Salvador, diante das exigências da realidade, do povo e de Deus.

Chamamos monsenhor Romero de "pastor", "profeta" e "mártir", e cada uma dessas palavras foi bem analisada, mas creio que não se costuma analisá-las nem valorizá-las suficientemente, porque acredita-se que todos saibam que o bispo Romero se transformou em monsenhor Oscar Romero, arcebispo, e para isso passou por um processo inegável e essencial de "mudança". Queremos insistir em que, dito de maneira sucinta, monsenhor Romero "se converteu", embora seja preciso explicar bem o significado do termo. A isso aludiu Maria Clara Bingemer.[28]

---

[28] Teóloga, professora, autora de muitos livros e decana do Centro de Teologia e Ciências Humanas da PUC-Rio. (N.T.)

2.1. A importância da mudança-conversão em monsenhor

Monsenhor Romero não gostava que se falasse da mudança que aconteceu com ele em termos de "conversão", o que é compreensível. Também monsenhor Urioste[29] prefere que se use outra linguagem: "A venda dos olhos do monsenhor começou a cair." Certamente, a mudança não consistiu em deixar de *fazer o mal* para *fazer o bem*, nem sequer em progredir para ser um bom cristão, em vez de ser um cristão comprometido. Entretanto, embora isso seja verdade, não é preciso ignorar a *profundidade* da mudança que marcou toda a sua vida posterior, e a ocasião – *kairos* – que possibilitou tamanho radicalismo. Na sua vida houve um antes e um depois. Quando alguém se esquece disso, não apenas ignora um fato biográfico fundamental, como também não entende, de maneira geral, o tipo de pastor, profeta e mártir que o monsenhor chegou a ser, nem entende que espécie de Igreja ele desejou e ajudou a criar.

"Mudança" ou "conversão": o certo é que ninguém – nem pobres nem oligarcas, nem laicos nem hierarcas – havia visto coisa igual. Monsenhor Romero foi um salvadorenho e um bispo *muito diferente*. Sua mudança foi descomunal, isto é, fora do comum.

É certo que o monsenhor sempre havia sido um homem piedoso, sensível e compassivo em relação aos pobres. Em pequenas observações que deixou escritas, conta que, quando estudava em Roma, de 1937 a 1942, uma velhinha pedindo pão, morta de frio e de fome, comoveu-o muito mais do que o imponente templo de Jesus que via à sua frente. No seminário onde morava, costumava levar pão do refeitório para seu quarto, o que era proibido, para dividi-lo depois entre os mendigos.[30] Sua conduta ética foi impecável, e ele sempre foi um sacerdote zeloso das almas, com

---

[29] Ricardo Urioste, diretor da Fundação Romero. (N.T.)

[30] Jesús Delgado. *Así tenía que morir. ¡Sacerdote! Porque así vivió Mons. Óscar A. Romero*. Ediciones de la Arquidiocésis de San Salvador, 2010, p. 26 e segs.

grande amor e obediência à Igreja, também em sua dimensão institucional.

Entretanto, faltava-lhe a aceitação cordial de Medellín: tornar *fundamental* o clamor dos oprimidos que chega até Deus, e a esperança de libertação de todas as espécies de escravidão. Em termos de *pensamento*, Medellín o assustou, e ainda mais a Teologia da Libertação. Em termos de práxis,[31] não achava que fosse assunto de sacerdotes e bispos enfrentarem as *estruturas* da injustiça e provocar os conflitos que esse enfrentamento acarreta.

O elemento mais decisivo para compreender o novo monsenhor é que a "conversão" não aconteceu regionalmente, apenas no âmbito ético-moral, por assim dizer, mas o definiu em sua identidade total: no seu saber, nas suas ações, na espera – acompanhando Kant – e no seu celebrar, o que inclui basicamente receber e dar um *eu-aggelion*.[32]

Em seus últimos anos de bispo de Santiago de María, monsenhor Romero já havia sentido com rigor a crueldade da injustiça,[33] mas foi eleito arcebispo de São Salvador com uma finalidade definida: apaziguar os ânimos *liberacionistas* de comunidades e paróquias, grupos de sacerdotes diocesanos, a conferência de religiosos e religiosas, a UCA... Ellacuría[34] deu a seguinte arguta declaração: "Não foi escolhido para que viesse a ser o que foi; foi escolhido para ser quase todo o contrário."[35]

---

[31] Conceitos, normas práticas. (N.T.)

[32] Palavra grega que quer dizer "boa mensagem". Era usada para descrever uma mensagem de vitória. (N.T.)

[33] Zacarías Diez e Juan Macho. *En Santiago de María me topé con la miseria. Dos años de la vida de Mons. Romero (1975-1976), años de Cambio*, 1994.

[34] Ignacio Ellacuría, espanhol, jesuíta, teólogo, filósofo e reitor da Universidade Centroamericana, colaborou intensamente com a Teoria da Libertação. Nasceu em 1930 e faleceu em 1989.

[35] Monseñor Romero. Un enviado de Dios para salvar a los hombres. *Sal Terrae*, dez. 1980, p. 827.

128 ∘⊱ Dom Oscar Romero: mártir da Libertação

Mas monsenhor Romero mudou, e foi um milagre que chegasse a ser praticamente o contrário daquilo para o que foi eleito. Tinha 59 anos, idade em que os seres humanos já forjaram suas estruturas psicológicas e mentais, sua vivência da fé, sua espiritualidade e seu compromisso. E acabava de ser constituído autoridade máxima da instituição eclesiástica no país, o que quase sempre costuma favorecer a continuidade do *status quo*, quando não o retrocesso, e assegurar o poder.

Em pouco tempo, ele intuiu o que vinha de cima: a ira da oligarquia, do governo, dos partidos políticos, do exército e dos órgãos de segurança; as críticas de quase todos os seus irmãos da Conferência Episcopal e de dicastérios[36] vaticanos. E até do governo dos Estados Unidos. Mas nada deteve o monsenhor. E, para compreender a profundidade de sua conversão, é igualmente essencial recordar que logo também recebeu o amor do povo, o carinho dos pobres e o respeito de todas as pessoas de bem. Isso o acompanhou até o fim.

2.2. A origem da mudança e da conversão

A dificuldade de uma mudança como a do monsenhor é evidente, e mais ainda para uma instituição coletiva como a Igreja. Por isso é importante analisar sua raiz, se a Igreja quiser realmente colocar-se em transe de conversão. Vamos abordá-la brevemente, considerando aquilo que mais pode nos iluminar e nos animar a trabalhar por outra Igreja que desejamos possível e que hoje em dia, além de tudo, é necessária.

Na origem está "um crucificado". Monsenhor mudou radicalmente, converteu-se, na ocasião do assassinato de Rutilio, junto com o menino Nelson e com Manuel, um senhor mais velho, representante da opressão radical do povo que ele já havia começado

---

[36] Tipo de ministério da Igreja Católica, encarregado de administrar o trabalho dos religiosos em todo o mundo. (N.T.)

a sentir em Santiago de María. Deus e a história o colocaram diante de um crucificado. E, como nas melhores tradições cristãs – sem reduzi-las a uma verbosidade piedosa –, o crucificado lhe concedeu a graça da conversão. A meu ver, eis o mistério mais profundo do novo monsenhor. *Uma irrupção do povo salvadorenho em um crucificado*, seu amigo Rutilio. E *uma irrupção do povo salvadorenho*, simbolizado em um menino e um ancião, que imediatamente compreendeu como povo crucificado, sacramento de Cristo.

Não aconteceu tudo de repente, mas a reação do monsenhor ao assassinato de Rutilio foi *imediata*. Na mesma noite, em Aguilares, exigiu do governo o esclarecimento dos três assassinatos e prometeu não assistir a nenhum ato oficial enquanto as mortes não fossem esclarecidas. Prometeu solenemente não abandonar o povo, e nunca voltou atrás. A mudança foi *espetacular*. Em El Salvador nunca haviam visto nada igual.

Sem pretender, o novo monsenhor estava recriando a estrutura da vida de Jesus de Nazaré. Rutilio foi, para o monsenhor, o detonador que João Batista havia sido para Jesus. "Capturado João, Jesus rumou para a Galileia." "Assassinado Rutilio Grande, surgiu monsenhor Romero."[37]

O assassinato de Rutilio foi a *origem* do novo monsenhor. E o que o manteve *para sempre* e o levou à plenitude foram os pobres do mundo, os sofredores, os esperançosos. Por eles monsenhor fez uma opção total e com eles teve uma completa identificação. A eles anunciou a boa-nova da libertação e o amor de um Deus liberador. Neles viu o Cristo crucificado, neles escutou a voz de Deus e neles encarnou. Isso mudou todo. "O que [antes da mudança] era uma palavra sem brilho, amorfa e ineficaz se transformou em uma torrente de vida, da qual o povo se aproximava para matar a sede."[38]

---

[37] Anos mais tarde, acrescentamos: "Assassinado monsenhor Romero, surgiu Ignacio Ellacuría."

[38] Ignacio Ellacuría, ibid., p. 829.

Para os camponeses, principalmente os acusados e perseguidos pelo Exército, por paramilitares e esquadrões da morte, monsenhor Romero significou um divisor de águas. Com ele veio, em meio a aberrações e crueldades, a possibilidade de viver, e de viver com dignidade. Em vida, monsenhor os defendeu com sua palavra, e representou, em certa extensão, um tipo de freio – tal era o peso de sua palavra – de capturas e assassinatos, embora certamente não tenha sido capaz de evitar muitas barbaridades. Contudo, os camponeses sentiram que, sem o monsenhor, corriam perigo ainda maior. Depois que ele morreu, as barbaridades aumentaram, já sem a trava do monsenhor, mas sua lembrança causava alento e esperança aos oprimidos, embora mínimos, porém verdadeiros.

Nesse povo monsenhor Romero encontrou um dom e benefícios: "Com esse povo não é difícil ser um bom pastor. É um povo que motiva as pessoas a lhe servir" (18 nov. 1979). Quase no final da vida, ele disse, sem nenhuma arrogância: "Se me matarem, ressuscitarei no povo salvadorenho" (mar. 1980). E o monsenhor, admirado e venerado por seu povo, foi principalmente *querido* – coisa nada frequente. Até o dia de hoje, o que o povo teve – e tem – por ele permanece como um sentimento extremamente carinhoso.

Recordemos, porém, que tudo começou com uma "conversão". E o monsenhor viveu sempre com a vontade da conversão, essencial para ele, para os cristãos e para a Igreja. Ele pregava isso naturalmente.

> Todos devemos converter-nos. Eu, que estou pregando a vocês, sou o primeiro que precisa de conversão, e peço a Deus que ilumine meus caminhos para que eu não diga nem faça coisas contrárias à Sua vontade. Devo converter-me ao que Ele quer, devo dizer o que Ele quer, não o que convém a certos setores ou a mim, se for contra a vontade do Senhor. (23 out. 1977)

"Eu, que lhes estou falando, preciso converter-me continuamente" (13 nov. 1977).

2.3. As raízes da nova Igreja de monsenhor Romero

A conversão do monsenhor aconteceu no seu interior, mas se expressou visivelmente no seu modo de agir. Agora vamos analisar sua maneira de "construir a Igreja", e começamos com um esclarecimento.

No índice analítico da edição crítica de suas homilias, pela UCA Editores, o termo que aparece mais vezes é "Igreja", porém o importante é que, já como arcebispo, monsenhor Romero usou o termo no seu sentido preciso, não de forma genérica, o que na prática diz pouco ou nada. E menos ainda na forma reducionista, a qual, consciente ou inconscientemente, costuma significar "a Igreja oficial" e, de maneira definitiva, "a hierarquia", "Roma".

Monsenhor Romero empregou também expressões vigorosas e menos ambíguas, como *povo de Deus*[39] e *Igreja dos pobres*.[40] E, com esses termos, melhor que com o termo "Igreja", ressaltava a dimensão histórica, popular, democrática, que oferece salvação, da comunhão com Jesus e teológica.

Costuma-se recordar que, ao ser nomeado bispo em 1970, monsenhor Romero escolheu como tema de seu episcopado o "sentir com a Igreja", e assim foi. E talvez naqueles anos ele o entendesse no sentido convencional. Mas, desde 1977, já como arcebispo de São Salvador, solidificou seu significado evangélica e teologicamente. Nas palavras de Ricardo Urioste, vigário-geral[41] e íntimo colaborador seu, "para monsenhor, *sentir com a Igreja* significava estar arraigado em Deus, defender os pobres e aceitar todos os conflitos procedentes da fidelidade ao Senhor".[42]

---

[39] Nas suas homilias em I, 38 vezes; II, 42; III, 22; IV, 45; V, 19.

[40] Em I, 2 vezes; II, 7; III, 4; IV, 6; V, 2; VI, 1. Sua segunda carta pastoral de 1977 é intitulada "La Iglesia, cuerpo de Cristo en la historia".

[41] Prelado nomeado pelo bispo para ajudá-lo a administrar a diocese. (N.T.)

[42] Citado em Douglas Marcouiller. *El sentir con la Iglesia de Monseñor Romero*. São Salvador, 2003, p. 28. (N.T.)

"Sentir" não significa simplesmente identificar-se com o que diz a Igreja; é um ato vigoroso do espírito: "estar arraigado", "defender", "aceitar". E o "sentir" assim entendido, não qualquer "sentir", refere-se a algo que vai além da "Igreja". Concretamente, remete a "Deus", realidade transcendente, e a "pobres" e "conflitos", realidades históricas. Isso quer dizer que não se progride muito na compreensão do que monsenhor entendia por Igreja apenas analisando termos e conceitos, mas vendo-o *in actu*[43] construir a Igreja.

Falemos do princípio. Monsenhor não começou do nada. Em El Salvador, já em 1970, realizou-se uma assembleia eclesiástica nacional, cheia de vida e ilusões, e com grandes tensões. Grupos de sacerdotes queriam trabalhar para que Medellín se tornasse uma realidade no país. Dos bispos, alguns nem sequer assistiram à assembleia, e outros se assustaram. O próprio monsenhor Romero não participou e se refugiou no seminário. No final escreveram-se dois textos, com conclusões diferentes. Um, redigido pelos sacerdotes; outro, enviado pelos bispos e o núncio a Roma. Rutilio Grande percebeu o que estava em jogo naquele conflito eclesiástico de 1970 por haver tocado profundamente o problema da Igreja em El Salvador. Ele disse: "Precisamos da conversão." E principiaram a tomar providências para construir uma nova Igreja.

Em 1977, a conversão que Rutilio pedia tornou-se real com o monsenhor. Para compreendê-lo, recordaremos três ideias principais, das quais nasceu a seiva de uma nova Igreja. Elas surgiram logo após a conversão do monsenhor, em meio a importantes fatos reais, e foram amadurecendo nos três primeiros meses que vão do dia 12 de março – assassinato de Rutilio – a 19 de junho, data da missa em Aguijares. Uma raiz foi *eclesiológica,* a outra, *teologal,* e a terceira, *cristológica.*

---

[43] Na realidade. (N.T.)

Analisaremos apenas alguns dos seus elementos, sem nos determos em sua base, claramente evangélica. Esses elementos surgiram no contexto de *fatos* reais, especialmente no início, e marcaram uma direção. Recordaremos algumas *palavras* que expressam o que produziam aquelas raízes, e selecionamos os elementos que – embora se possa discutir sobre eles – hoje nos parecem ser mais necessários. Iniciamos com a raiz eclesiológica, na qual nos deteremos um pouco mais.

2.3.1. Elementos de eclesiologia

a) O mais imediato foi a criação de um *corpo eclesial*. Desde o princípio, monsenhor deu uma virada na configuração da diocese, que deixou de ter forma de pirâmide e começou a ser "corpo", apesar de que em El Salvador já havia sinais disso. A mudança aconteceu nas reuniões com sacerdotes, religiosos, religiosas e comunidades, depois do assassinato de Rutilio. Mais adiante, monsenhor convidou profissionais, intelectuais e alguns políticos cristãos. O importante é este fato: a Igreja "se tornou corpo" e a humildade de Romero: "ajudem-me" – foi o que pediu aos sacerdotes.

Um exemplo importante. Antes de escrever sua última carta pastoral em 1979, ele enviou um questionário às comunidades, no qual perguntava: "Para o senhor, quem é Jesus Cristo?" "Qual é o maior pecado do país?" "Qual sua opinião sobre a Conferência Episcopal, sobre o núncio, sobre seu arcebispo?" E levou muito a sério as respostas.

As pessoas compreenderam rapidamente a mudança. E a enorme diferença do modo pelo qual os outros bispos consideravam a Igreja, sem muita elaboração teórica, deixou claro que a Igreja não é uma instituição [hierárquica], nem uma sociedade [perfeita], nem corpo [etéreo] de Cristo. É o *corpo* de Cristo na história, como disse o monsenhor em sua segunda carta pastoral, em agosto de 1977. Hoje em dia, a realidade de uma Igreja-corpo é deficiente.

b) Em pouco tempo, monsenhor deixou claro que *o bispo é defensor das vítimas "ex officio"*.[44] Foi um elemento-chave da novidade eclesiástica *ministerial*. Em 19 de junho de 1977, depois que o Exército abandonou Aguilares, havendo-a sitiado durante um mês e tendo assassinado cerca de uma centena de camponeses – nunca se soube o número exato –, o monsenhor foi consolar o povo e começou a homilia com estas palavras: "Cabe a mim recolher feridos e cadáveres." O monsenhor, que era bispo desde 1970, falava agora como se estivesse descobrindo uma dimensão essencial de sua identidade e missão episcopal. Dizia que era um defensor *ex officio* das vítimas, como os bispos da colônia eram defensores *ex officio* dos índios. Foi uma importante "conversão", no entendimento de sua identidade episcopal. O elemento não negociável, digamos assim, dessa identidade foi *acompanhar e dar esperança ao povo sofredor*. Também a Igreja, na sua totalidade, deveria ser defensora *ex officio* do povo sofredor.

c) A novidade global fundamental foi *uma Igreja dos pobres*. Monsenhor Romero construiu uma Igreja composta de pobres e evangelizadora dos pobres e dos oprimidos. Não excluiu ninguém, mas nela não cabiam – porque se autoexcluíam – os opressores. Romero manteve a declaração de Lucas: "Fui enviado para anunciar a boa-nova aos pobres" e, como Lucas, excluiu "o dia da vingança do nosso Deus". Contudo, a Igreja se transformou em ameaça para os opressores, sem ressentimentos e sem espírito de vingança. Por amar e defender os oprimidos, não por imperativos categóricos nem por mera fidelidade à doutrina social da Igreja, Romero denunciou o opressor de maneira inigualável. O monsenhor "convertido" – como o "convertido" Bartolomé de las Casas – chegou a ser um dos sete ou oito grandes profetas na linha da tradição bíblica, disse José Luis Sicre[45] há muitos anos.

---

[44] Por dever do cargo, por obrigação. (N.T.)

[45] Filósofo espanhol nascido em 1940, dedicou suas pesquisas científicas ao estudo dos profetas. É doutor em Sagrada Escritura e leciona na Faculdade de Teologia da Universidade de Granada e no Pontifício Instituto Bíblico de Roma. (N.T.)

O monsenhor procurou construir uma Igreja para os pobres, mas também uma Igreja que fosse, ela mesma, pobre, evangelizadora em pobreza e sem poder, sem pretensões de solenidade, sem ares de superioridade e arrogância ante outras Igrejas, religiões e instituições que também procuravam o bem para os pobres. Ele queria uma Igreja com religiosos e religiosas que levassem a sério a pobreza com que se comprometeram, e com uma hierarquia que se perguntasse, como ocorreu em Medellín, se vive ou não na pobreza.[46] A Igreja do monsenhor foi pobre.[47]

O monsenhor quis também construir uma Igreja que respeitasse a *razão dos pobres e carentes* e *sua liberdade*, e eu gostaria de me deter nesse ponto. Ele respeitou a razão para não infantilizar os pobres, no que ajudavam suas cartas pastorais *lógicas* e suas homilias fundamentadas *teologicamente*, sem cair na pura devoção e sem fomentar devoções infantilizadoras. Ele fazia isso sabendo que, quando a fé das pessoas mais simples se torna "adulta",[48] pode representar problemas para a instituição, sua doutrina, a pregação e as devoções. E também lidou com sua liberdade com respeito, embora dessa forma sempre seja mais difícil manter os fiéis submetidos à autoridade eclesiástica.

O monsenhor fez dos pobres não apenas destinatários da missão da Igreja, mas, o centro de estruturação e inspiração interna, no que

---

[46] Ver o capítulo "Pobreza da Igreja": "Chegam também até nós as queixas de que a Hierarquia, o clero, os religiosos, são ricos e aliados dos ricos", n. 2. Medellín matiza e explica essas críticas, mas os bispos tiveram a honradez de analisar, com sinceridade, a pobreza ou a riqueza real da Igreja.

[47] Um único exemplo: durante seus três anos como arcebispo, o monsenhor não conseguiu avançar com a reconstrução da catedral porque a Igreja não tinha recursos. Alguns anos depois de sua morte, a reconstrução foi logo terminada e incluiu até elementos luxuosos para um povo como o salvadorenho. A Igreja obteve com facilidade os recursos necessários para esses materiais.

[48] Quando católicos se permitem criticar e desobedecer ao Papa e aos bispos, porque duvidam da validade dos mandamentos e das tradições, por considerá-los obsoletos. (N.T.)

insistiu Ellacuría. Acima de tudo, monsenhor Romero construiu uma Igreja que se emocionou profundamente com o sofrimento dos pobres. Ele nunca permitiu que o sofrimento dos pobres figurasse em segundo lugar: "Minha posição de pastor me obriga a ser solidário com todos os que sofrem" (7 jan. 1979), disse ele, de maneira concisa. Será ótimo recuperar não apenas a opção, mas a absoluta prioridade dos pobres para a Igreja.

d) Pouco depois de Medellín, desde as cúrias, condenou-se a "Igreja popular", mas esta foi a Igreja do monsenhor: uma *Igreja do povo*. "É difícil falar de monsenhor Romero sem mencionar o povo", dizia Ellacuría. Pensando na Igreja de hoje em dia, o monsenhor provavelmente defenderia uma Igreja inserida em um povo de camponeses, operários, moleiros, emigrantes, mulheres oprimidas e crianças desnutridas.

Ele teria interferido a favor de uma Igreja latino-americana de mestiços, indígenas e afro-americanos, juntamente com europeus. A favor, também, de uma Igreja local com sua própria cultura, receptiva a outras, mais ainda às da África e da Ásia. E certamente defenderia uma Igreja ela mesma *povo*, antes de ser uma *instituição*, próxima à justiça em movimentos e sindicatos, sobre o que escreveu uma extraordinária carta pastoral. E também uma Igreja do povo junto com colégios e universidades, grupos de profissionais comprometidos com aquele ideal, seminários, para defender o povo. Esperemos que isso volte a acontecer.

Essa Igreja popular foi profética, com a ajuda da doutrina social, a qual usou criativamente, expondo o que era mais convergente com o Evangelho, e aplicou em toda situação *concreta*. Recordou a doutrina social, mas sem deixar de se fixar no *sofrimento do povo*.

Uma Igreja que reúne Deus e o diabo. Assim o fez na véspera de ser assassinado: "Em nome de Deus, portanto, e em nome deste povo sofrido, cujos gritos sobem ao céu a cada dia de maneira mais revoltada, suplico-lhes, peço-lhes, ordeno-lhes em nome de Deus:

cessem a repressão" (23 mar. 1980). Isso reúne Igreja e povo. "Um bispo vai morrer, mas a Igreja de Deus, que é o povo, jamais perecerá" (mar. 1980). Uma Igreja que reúne mártires e o povo: "Se me matarem, ressuscitarei no povo salvadorenho" (mar. 1980). E uma Igreja que relaciona o povo histórico e o povo de Deus. Ellacuría analisou assim as características do verdadeiro *povo de Deus*, segundo monsenhor Romero: 1. a opção preferencial pelos pobres; 2. a personificação histórica nas *lutas do povo* por justiça e liberdade; 3. a introdução da catalisação cristã nas *lutas por justiça*; 4. a *perseguição* por causa do Reino de Deus na luta por justiça. Entrelaçavam-se a realidade evangélica e a realidade histórica do povo.

Para concluir, monsenhor Romero proferiu estas palavras inolvidáveis:

> Estas homilias querem ser *a voz deste povo*. Querem ser a voz dos sem voz e por isso, sem dúvida, desagradam àqueles que têm muita voz. Essa pobre voz ecoará entre aqueles que amam a verdade e amam de verdade nosso querido povo. (29 jul. 1979)

e) *Colegialidade*[49] *e amizade episcopal*. Já aludimos aos problemas com seus irmãos bispos no país e com as cúrias vaticanas, porém maior do que isso foi o impulso de Romero de viver sua realidade hierárquica juntamente com outros bispos, em fraternidade, liberdade e júbilo, contra o distanciamento entre eles e o temor de Roma. Observava-se o sabor do "pacto das catacumbas":[50] caminhar todos juntos de mãos dadas com os pobres. E nisto se expressava a principal colegialidade: a da amizade entre eles, que é importante lembrar.

---

[49] Reunião de bispos para tomada de decisões, com igual peso dos votantes. (N.T.)

[50] Documento de 13 itens redigido e assinado em 16 de novembro de 1965 por 40 padres participantes do Concílio Vaticano II, entre eles vários bispos brasileiros e latino-americanos. Alguns dos principais itens: levar uma vida de pobreza, rejeitar os privilégios e símbolos do poder e colocar os pobres no centro do ministério pastoral. (N.T.)

138 Dom Oscar Romero: mártir da Libertação

Assim aconteceu, sem o monsenhor estar presente, em Riobamba, em 1976, e assim ocorreu, estando ele presente, na Rua Washington, em Puebla, em 1979. O monsenhor viveu com alegria, como deixou escrito no seu diário e declarou publicamente nas suas homilias. Sentiu amizade e solidariedade pelos seus irmãos, "padres da Igreja latino-americana", entre eles principalmente com os mártires. Junto com monsenhor Romero, o cardeal Pironio, em Roma, e em Puebla com o cardeal Lorscheider,[51] Dom Sergio Méndez Arceo, Dom Hélder Câmara,[52] monsenhor Proaño, o cardeal Arns...[53]

Para a nova Igreja, é fundamental manter vivos esses pastores da nossa Igreja, entre eles principalmente os mártires. Junto com monsenhor Romero, Angelelli, Ponce de León e Joaquín Ramos, assassinado em El Salvador em 1993. Dom Hélder Câmara e Pedro Casaldáliga não chegaram a morrer assassinados, por erros dos assassinos. E é imperativo agradecer a Paulo VI em Mosquera e Medellín.

Acrescentamos como acreditamos que o monsenhor lidaria hoje com três elementos eclesiásticos importantes na atualidade:

f) *Uma Igreja de mulheres*. O problema da mulher na Igreja se tornou evidente, e, afora palavras piedosas, não se constata a vontade eficaz de resolvê-lo nas cúrias vaticanas. Romero disse, na homilia de 8 de julho de 1979:

A partir de 15 de julho os homens com mais de 16 anos ganharão 5.20 *colones*[54] em vez de 4.25; as mulheres com mais de 16 anos , 4.60, em lugar de 3.75. O aumento é justo, é bom, mas não sei por que a discriminação contra as mulheres continua em um país civilizado. Por que elas não vão receber salário igual, se trabalham igual aos homens?

---

[51] Brasileiro. (N.T.)

[52] Brasileiro. (N.T.)

[53] Brasileiro. (N.T.)

[54] Moeda de El Salvador e da Costa Rica. (N.T.)

Monsenhor Romero elogiava as mulheres nas suas homilias, mas creio que hoje se perguntaria, no contexto da Igreja, o que acabamos de recordar no contexto do trabalho. A outra Igreja possível deve permitir e estimular que as mulheres falem na Igreja, embora às vezes as coisas que dizem possam doer, precisamente porque são verdadeiras. Sem as mulheres, a Igreja submerge, e muitas vezes também o país inteiro. Elas oferecem dedicação e delicadeza, raras na instituição.

E não se deve desrespeitá-las, buscando apoio em exegeses[55] simplistas, desacreditadas pelos especialistas, para que o *poder* sagrado continue sendo monopólio de homens ordenados para um ministério. Depois de séculos de submissão ao poder, talvez as mulheres possam contribuir para que o poder deixe de ser impositivo e seja mais um serviço voluntário.

g) *Uma Igreja que pede perdão com humildade e sem arrogância.* O problema é atual, em vista da crise de pedofilia e das reações intraeclesiásticas.

Costuma-se dizer que a Igreja é, ao mesmo tempo, casta e prostituta, às vezes com honradez e o propósito de emendas, outras vezes, com rotina e atraso. Às vezes com sinceridade, outras vezes, sem decidir tomar medidas contra notórios pecadores – e principalmente estruturas –, o que acarreta dissimulação. Às vezes com humildade, outras vezes, com arrogância. A Igreja é acusada injustamente e, por outro lado, pede perdão melhor que outros. Com monsenhor Romero, as situações eram diferentes, mas vai ajudar muito lembrar seu modo de proceder diante do pecado da Igreja. Ele o denunciava com honradez e humildade, sem ranços de arrogância nem autodefesa. Recordemos algumas de suas denúncias públicas nas suas homilias.

Contra uma religião sem justiça. "Tradições humanas são certos cultos, certas maneiras de vestir, certas formas de rezar. Procuramos

---

[55] Explicação ou interpretação crítica de um texto, especialmente religioso. (N.T.)

o que mais agrada a Deus, o que diz mais do que uma religião entre os povos. 'Visitar as viúvas e os órfãos, e conservar-se puro no mundo.' Essa é a verdadeira religião" (2 set. 1979).

Contra uma Igreja a serviço da riqueza. A Igreja se orientou para "alguns interesses econômicos aos quais infelizmente serviu, mas que foram um pecado da Igreja, ao enganar e não dizer a verdade quando tinha de dizê-la" (31 dez. 1978). "É um escândalo em nosso meio que haja pessoas ou instituições na Igreja que ignorem os pobres e vivam como lhes apraz" (1 jul. 1979).

Contra o culto comercializado. "A missa que se submete à idolatria do dinheiro e ao poder" (2 jun. 1979). "Que vergonha quando a celebração religiosa se transforma em uma forma de ganhar dinheiro! Não há escândalo mais escabroso!" (11 nov. 1979). "Parece mentira que se multipliquem as missas apenas para ganhar dinheiro. Isso lembra o gesto de Judas vendendo o Senhor. E bem merecia que o Senhor usasse novamente o chicote" (24 jul. 1979).

Os tempos mudam, mas a honradez e a humildade continuam sendo decisivas para construir uma Igreja simples e sem arrogância, para pedir perdão e aceitar com humildade as reações contra ela, embora sejam em parte exageradas.

h) *A denúncia profética.* A de monsenhor Romero é bem conhecida. O problema atual é que, sem guerra nem repressão oficial, continua essa aberração no país. A Igreja deve recordar a obra de Romero e aprender com ela.

Diariamente ocorrem entre 10 e 13 assassinatos em El Salvador, ou seja, de 3.500 a 4.000 por ano. Às vezes os cadáveres mostram sinais de tortura. Outras vezes os corpos são decapitados. As causas são o crime organizado, o narcotráfico, o não pagamento de extorsões, vingança entre quadrilhas, ajuste de contas, crimes passionais... Seja qual for a precisão desses dados, a conclusão é clara: em El Salvador, como na Guatemala e em Honduras, vivemos uma situação anômala. Viola-se o que há de mais fundamental: a vida dos seres humanos. E o ambiente social, moral e ético não detém a barbárie. A pergunta é: o que fazer, e o que fazer como Igreja? Monsenhor Romero não oferece respostas concretas, mas um modo de proceder.

A Igreja, como toda Igreja no país, deveria reunir-se ao menos com algum ou alguns bispos, preferivelmente em conjunto com todas as demais Igrejas: sacerdotes e pastores, religiosas e leigos que vivenciam aqueles fatos, especialistas criminais, políticos e profissionais. Todos eles deveriam redigir cartas pastorais sérias, como as da época do monsenhor, analisando e julgando, de modo cristão, a violência de hoje e sugerindo caminhos de solução.

Nas homilias de domingo, ao menos nas catedrais e nos templos onde se reúne um grande número de fiéis, eles deveriam divulgar, sem pressa, mas sem se interromper, os fatos anormais da semana, os nomes das vítimas e dos assassinos. E deveriam propor a si mesmos formas de reparação, ajuda moral e material aos familiares das vítimas.

Nas emissoras de rádio e televisão, nas universidades e nos colégios, nos grupos e movimentos relacionados à Igreja, a violência e o que ela acarreta deveriam ser tema central de reflexão. Assim, as denúncias e as propostas seriam, essencialmente, de todo o corpo eclesiástico. De qualquer maneira, uma Igreja que se origina da de monsenhor Romero precisa mostrar a decisão de denunciar e superar a violência.

2.3.2. Elementos de teologia

Apontamos alguns elementos importantes da Igreja que desejamos, mas, como no caso do monsenhor, a conversão deve alcançar níveis mais profundos. Disso vamos tratar em breve.

a) *O mistério de Deus.* Creio que a "conversão" do monsenhor ocorreu na proximidade máxima desse nível, embora não tenha sido imediatamente visível, pois aconteceu de maneira oculta, e apenas Deus consegue ver o que está escondido.

O monsenhor convocou uma única missa para o funeral de Rutilio em 20 de março de 1977. A princípio, teve escrúpulos para realizá-la, pois "a missa dá glória a Deus". Tranquilizou-o a frase de Santo Irineu que o padre César Jerez mencionou na reunião do clero: "*Gloria Dei vivens homo*", ou seja, "A glória de Deus é que o homem viva". Três anos depois, na universidade de Lovaina,[56] o monsenhor assim reformulou a frase de Irineu: "*Gloria Dei vivens pauper*", isto é, "A glória de Deus é que o pobre viva". Começou assim o dinamismo espiritual de sempre unir Deus e os pobres.

E, para acalmar possíveis críticos, acrescentamos que o monsenhor não ignorou a segunda parte da frase de Irineu: "*gloria autem hominis, visio Dei*" ("e a glória do homem é a visão de Deus"). Romero assim formulou a frase, em suas próprias palavras:

> Nenhum homem se conhece até se encontrar com Deus... Quem me dera, caros irmãos, que o fruto desta pregação de hoje resultasse em que cada um de nós fosse ao encontro de Deus, e que vivesse a alegria da Sua majestade e da nossa pequenez. (10 fev. 1980)

O monsenhor Romero "convertido" ajuda a crer na transcendência de Deus e também a acreditar na notícia do Deus dos pobres. Como se disse em Puebla: "Independentemente de sua situação pessoal e moral, por serem pobres, Deus os defende e os ama." Uma Igreja assim é uma Igreja do Deus dos carentes, o Deus que "se lembra mesmo do mais necessitado de todos", como dizia Bartolomé de las Casas. E do Deus que eleva os pobres a seu nível: "Tudo é relativo, menos Deus e a fome", como disse Pedro Casaldáliga.

b) *O Deus maior que a Igreja*. É importante lembrar isso. Com a decisão de realizar uma só missa, para o monsenhor começou outro calvário, que o acompanhou até o fim da vida. O secretário do

---

[56] Localizada na Bélgica. (N.T.)

núncio o repreendeu abertamente por haver autorizado uma única missa no domingo – 20 de março – em que se celebrava o funeral de Rutilio. Foi o início de graves problemas com as cúrias vaticanas e com seus irmãos bispos da conferência episcopal. Romero saiu muito satisfeito e reconfortado da visita que fez a Paulo VI. Da primeira visita a João Paulo II, saiu decepcionado e triste. Em 1983, morto monsenhor Romero, João Paulo II, sem avisar ao governo, visitou de surpresa sua tumba na catedral, e o elogiou como tendo sido "um pastor dedicado".

A incompreensão e a perseguição sofridas dentro da instituição, precisamente quando o monsenhor era, da maneira mais clara, seguidor de Jesus, na minha opinião, motivaram-no a acreditar, existencialmente, *em um Deus maior do que a Igreja*. Essa circunstância, a de deixar Deus ser Deus e não atribuí-Lo a nenhum acontecimento criado, secular ou eclesiástico, culminou – a meu ver – na mudança, na "conversão" de monsenhor Romero.

2.3.3. Elementos de cristologia

a) *O povo crucificado*. O monsenhor reuniu Cristo e os oprimidos, o que foi uma notável mudança. "Vocês são o divino perfurado, Cristo crucificado", afirmou na homilia de 19 de junho aos camponeses aterrorizados. Em outra homilia comparou-os ao servo sofredor de Javé. Ao que eu saiba, apenas ele e Ellacuría usaram tão radicalmente as expressões "povo crucificado", "servo sofredor de Javé", para referir-se aos pobres e às vítimas, sem que se possa dizer quem copiou quem.

b) *O seguir a Jesus de uma Igreja mártir, por ser consequentemente misericordiosa*. Depois de Medellín, foi isto que mais caracterizou a Igreja salvadorenha e latino-americana: uma imensa nuvem de testemunhas, bispos, sacerdotes, religiosas, inumeráveis leigos e leigas, cristãos e cristãs admiráveis. O martírio é o "amor maior", e não se pode ir mais além, mas pode-se ser exato. Na América Latina, os mártires não deram a vida por um amor qualquer, mas para defender as vítimas, na maioria pobres, inocentes e indefesas. Essa Igreja foi de martírios, por ser, como Jesus, misericordiosa até o fim. Mártires são, consequentemente, os misericordiosos. São os verdadeiros padres e madres da Igreja latino-americana: impedem que a degeneração da Igreja seja maior, e deles e delas continua vivendo o melhor de nossa Igreja.

Os tempos mudam, mas continuam sendo necessárias a decisão de arriscar e a de não evitar conflitos, para defender milhares e milhões de vítimas. Nesse sentido profundo, a Igreja deve prosseguir sendo uma Igreja de martírios: essa Igreja é o corpo de Cristo na história do sofrimento.

3. Palavra final

Nos três primeiros meses depois do assassinato de Rutilio, o monsenhor "convertido" tomou as providências para outra Igreja "possível": reconstruir um corpo eclesiástico histórico, evangélico e salvadorenho; que a hierarquia faça de sua *ex officio* a defesa das vítimas; não aprisionar Deus dentro dos muros eclesiásticos; encontrar Deus nos povos crucificados. E por ser ele como era, manter nossa esperança de que tudo isso é possível.

Deixo para o final o que me parece mais decisivo. O monsenhor "convertido", "com afinidade com Jesus de Nazaré", como nos recordou Xavier Alegre, e "existente entre nós", como determinou Gustavo Gutiérrez, pode tornar Jesus de Nazaré presente na Igreja com que sonhamos.

Essa Igreja, com o monsenhor, pode tornar Jesus presente, sem escondê-lo sutil ou grosseiramente. Pode ficar fascinada pelas bem-aventuranças de Jesus, como ficou Gandhi – embora acrescentasse que não observava essa fascinação nos cristãos. Essa Igreja não dirá ao Jesus que irrompeu entre nós – apesar de que recordá-Lo seja trágico – o que disse o grande inquisidor de Dostoiévski: "Senhor, vá e não volte mais." E essa Igreja pode escutar muitas pessoas, dentro e fora dela, que nos dizem o que pediu Roger Garaudy em sua época marxista: "Vocês, que acreditam na Igreja, devolvam-nos Jesus."

Junto com uma grande nuvem de testemunhas, monsenhor Romero pode nos devolver Jesus e assegurar sua presença entre nós.

Se temos 98% de pessoas cristãs, não entendo fatos como 16 homicídios *diários*, não consigo compreender que tenhamos na Guatemala 49% de crianças de um a cinco anos de idade desnutridas cronicamente. Tampouco consigo entender ou aceitar que na Guatemala tenhamos 59% de crianças indígenas – indígenas! – desnutridas cronicamente. Neste ponto abordamos este assunto fundamental: que espécie de cristão sou eu?

Sempre digo: a Guatemala se considera um país cristão, de católicos e não católicos. Somos 12 milhões de habitantes, e em toda a Guatemala tenho certeza de que a porcentagem de cristãos, homens e mulheres, pode chegar a 98%. Assim, é raríssimo que pessoas que se declarem ateias, com clareza e explicitamente, proclamem: "Eu sou ateu." Algumas o dizem porque realmente existem, mas, de maneira geral, se alguém pergunta: "O senhor tem alguma religião?", a resposta é: "Tenho." "E qual é sua religião?" "Sou cristão."

Porque hoje em dia há muita diferença entre cristão "cristão" e cristão "católico". Sabemos que não é bem assim, mas é uma forma de apresentar a verdade parcialmente. Tampouco faz sentido para mim que a Guatemala ocupe o terceiro lugar na América Latina nos níveis de exclusão social, de desigualdade no Produto Interno Bruto e na sua distribuição, porque então a pergunta que não quer calar é: "Com esse país tão violento, tão impune, tão racista, tão discriminatório, tão desigual, como é possível que 98% da população se considerem cristãos?" E se alguém decide escolher como vocação a vida sacerdotal – ser pastor – ou decide também consagrar sua vida à vida consagrada, por que não se faz antes a pergunta básica: "Que espécie de cristão sou eu?"

Ministério Episcopal: serviço aos mais pobres

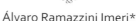

Álvaro Ramazzini Imeri*

É certo que sempre mantive uma relação de amizade e fraternidade com esses irmãos jesuítas, especialmente quando eles nos acompanhavam na Cidade da Guatemala e moravam na zona 5,[1] e havia ocasiões para se refletir sobre o progresso do país, antes que aumentasse o nível de violência e repressão que causou tantas vítimas na Guatemala e provocou o êxodo de centenas de milhares de guatemaltecos para as zonas de Chiapas, em San Cristóbal de las Casas, e de Campeche. E também de pessoas que permaneceram na selva do distrito de Ixcán, que formaram o que se chamava de comunidades da população que resistia.

Em virtude da recordação do padre João do encontro que tive com o padre Ricardo Falla, amontoam-se as lembranças e, no coração, sentimentos e recordações, não apenas pelo fato de que surgem de modo espontâneo, mas também porque justamente no dia de ontem fez oito dias que o pároco das comunidades de Cuarto Pueblo e Pueblo Nuevo, na zona de Ixcán, convidou-me para celebrar os 28 anos do massacre de Cuarto Pueblo, no qual foram assassinadas 480 pessoas que faziam parte das cooperativas do Ixcán, um proje-

---

* Bispo da diocese de São Marcos, na Guatemala, conhecido por sua defesa dos direitos humanos; presidente da Conferência Episcopal da Guatemala em 2007. (N.T.)

[1] A cidade é dividida em 25 zonas; a zona 5 é uma das que abrigam atividades financeiras. (N.T.)

to muito interessante e realmente útil – que, lamentavelmente, foi anulado pela repressão – do padre de Maryknoll, padre Guiellermo Woods, que viajava no seu teco-teco, que caiu, tendo a investigação revelado que o acidente não aconteceu por falha mecânica, mas por um atentado que provocou a morte do padre Woods. Claro que, estando ali com tantas pessoas depois de muitos anos, quando se apresentaram, pois viviam escondidas na selva, vai-se descobrindo a capacidade de resistência e de luta nessas comunidades indígenas, que pertencem às várias etnias dos povos indígenas da Guatemala, como também a capacidade da energia da parte de pessoas não indígenas, às quais nós, na Guatemala, chamamos "mestiços brancos". Tudo isso, é claro, me vem agora ao coração, e me lembro de que, em uma dessas viagens que fiz às comunidades de resistência, um dos catequistas se aproximou e me disse: "Há uma pessoa que quer lhe falar, mas não posso lhe dizer quem é." Isso me intrigou um pouco, porque, evidentemente, vivíamos também uma situação de muito sigilo, embora o Exército e o governo da Guatemala soubessem que a conferência episcopal estava se envolvendo na questão de conseguir que os irmãos das comunidades da população de resistência fossem declarados civis, e não combatentes, embora soubéssemos que alguns deles o eram, mas a situação das mulheres e das crianças nos preocupava, por isso resolvemos abordar esse tema. Fiquei surpreso quando o catequista me disse que havia uma pessoa que queria me falar. Ele então me levou a um lugar afastado, onde estavam acampadas aquelas pessoas, e lá me encontrei com o padre Falla.

Fazia muitos anos que eu não o via, pois havia perdido sua pista, e realmente fiquei impressionado. Impressionei-me porque ele havia feito a opção de acompanhar essas comunidades de população de resistência, compartilhando sua vida e seu destino, e lá estava Falla com seu abrigo de náilon com capuz, para poder passar a noite, porque é uma zona onde chove muito no inverno. Todos estavam prontos para ir embora, porque, em qualquer momento que o Exér-

Ministério Episcopal: serviço aos mais pobres ༺ 149

cito se aproximasse, eles teriam de fugir, pois a repressão contra eles
era muito forte, por isso sempre que tenho oportunidade de dizê-
-lo – como agora –, afirmo: tiro o chapéu para Ricardo, por haver
vivido sete anos nessa situação, nas selvas de Ixcán.

Pediram-me que dividisse com os senhores algumas reflexões
sobre o que quer dizer hoje em dia ser um bom pastor. Obviamente,
a primeira ideia que me veio à cabeça quando eu estava meditan-
do sobre o assunto foi o texto do Evangelho em que um pobre se
aproximou de Jesus e lhe disse: "Bom Mestre, que devo fazer para
alcançar a vida eterna?" Jesus respondeu: "Por que me chamas de
bom? Somente Deus é bom." Acredito que o fato de considerar-se
a pergunta "Que quer dizer ser um bom pastor nos tempos atuais?"
assinala que se deve partir do pressuposto de que estamos em um
processo, em um caminho de nos aproximarmos – e gostaríamos de
nos aproximar ao máximo – desse ideal de perfeição de Jesus, que é
o maior exemplo do bom pastor. Claro que, ao longo da história da
Igreja e nos tempos recentes, estamos nesse espírito da celebração
de alguém que se assemelhou muitíssimo ao Bom Pastor, como foi
monsenhor Oscar Romero. Repito que se deve, sem hesitar, partir
da consciência de que se vive em um processo de contínua transformação e de contínua revisão dessas atitudes, desses atos e, sem
dúvida, também das opções, porque não são opções que se fazem de
uma vez para sempre, quando se têm essas opções e elas são vividas
com fidelidade, não! São opções que se repetem, que se renovam,
que vão se aprofundando dia após dia. Por isso, indubitavelmente
ponho como pano de fundo, como telão de fundo, aquele que é verdadeiramente o Bom Pastor por excelência, o Senhor Jesus Cristo.
E, principalmente também, como dizia a mensagem de Dom Pedro
Casaldáliga, que é a Testemunha com letra maiúscula, o que se deve
fazer é seguir o exemplo e o estilo de vida Dele, com todas as limitações humanas que temos, pois carregamos um grande tesouro em
vasilhas de barro, como diz muito bem o texto do apóstolo.

Vou, assim, partilhar com os senhores algumas reflexões partindo, repito, do pressuposto de que é um processo dinâmico, constante, permanente, e que são opções fundamentais que, na medida em que se aprofundam, têm maior coerência e expressam realmente compromissos que só vão terminar na hora da morte. Alguns com a graça dos mártires jesuítas, como monsenhor Romero, como outros bispos, leigos, catequistas, mulheres e religiosas em diferentes partes do mundo, na Guatemala etc., que tiveram a graça e o privilégio de assemelhar-se ao máximo no seguimento de Jesus, posto que morreram violentamente, como também morreu o Senhor, e outros que viverão a vida, ou viveremos a vida, e que, quando chegar o momento de prestarmos contas ao Senhor, lá estaremos. Ninguém sabe como nem quando será o fim da vida de cada um, mas vamos trilhando nosso caminho.

Gostaria, então, de iniciar dizendo que, para poder começar uma reflexão sobre "Que quer dizer ser um bom pastor?", há o pressuposto que diz – por favor, não nos esqueçamos disto – que essa pergunta não pode ser respondida sem antes nos fazermos outra dupla pergunta. A primeira é: "Que tipo de pessoa sou?" Entramos, então, com o assunto da dimensão humana, da dimensão pessoal, da existência, história, família, educação e da formação que recebemos. Em termos bem mais concretos, o assunto é muito debatido, mas nem por isso menos importante – continua tendo muito mais importância diante de situações que vemos: de infidelidades, defecções, incoerências e outros problemas muito mais sérios –, tudo que tenha a ver com a dimensão humana, com a maturidade humana daquele que quer ser pastor, ou, no caso das religiosas ou de instituições seculares, de pessoas que querem seguir Jesus no radicalismo do Evangelho, ou no caso dos irmãos laicos que querem viver seu compromisso cristão.

Isso conduz à segunda pergunta: não apenas me perguntar que tipo de pessoa quero ser, em um sentido muito amplo e completo, mas também que espécie de cristão quero ser. Isso vale para todos, porque a vocação fundamental é precisamente sermos cristãos. Esse foi um assunto que em Aparecida, faz uns dois anos, quase três, motivou-nos a poder orientar nossas reflexões, porque constatamos – por meio de vários encontros, principalmente de bispos – que em nossas comunidades temos muitas pessoas batizadas, mas poucos e verdadeiros discípulos de Jesus. Por isso o tema básico de Aparecida foi: discípulos e missionários de Jesus Cristo para que nossos povos tenham vida Nele.

Estou convencido de que o cristianismo na América Latina e na América Central está passando por profunda crise. Não é somente a crise institucional da Igreja como instituição, é uma crise muito mais profunda, é a crise da vivência do essencial cristão. Porque os senhores devem estar a par de que nós, na Guatemala, também temos este problema: a proliferação de todos esses grupos, dessas igrejas em que se fazem as grandes campanhas e em que a isca para atrair as pessoas é a cura de suas enfermidades, as campanhas para sarar – e é incrível como muitas pessoas acreditam. Quando se escuta o que esses pregadores pregam, a pessoa se pergunta: "Como é possível que pessoas com certo sentido crítico possam aceitar o que esses pregadores dizem, e principalmente que aceitem a oferta de prática religiosa?" Sempre digo: a Guatemala considera-se um país cristão, de católicos e não católicos. Somos 12 milhões de habitantes, e, em toda a Guatemala, tenho certeza de que a porcentagem de cristãos, homens e mulheres, pode chegar a 98%.

Portanto, é raro que as pessoas se declarem ateias, clara e explicitamente, e digam a outra pessoa: "Sabe de uma coisa? Eu sou ateu." Algumas o dizem porque existem mesmo, mas normalmente costuma-se perguntar: "O senhor tem alguma religião?" E a resposta é: "Tenho." "E qual é?" "Sou cristão." Porque agora há uma grande diferença entre um cristão "cristão" e um cristão "católico". Sabemos que não é bem assim, mas é um modo de apresentar as verdades de forma dissimulada. A questão é que, se temos 98% de pessoas cristãs, não entendo fatos como 16 homicídios diários, não consigo entender que tenhamos na Guatemala 49% de crianças de um a cinco anos de idade desnutridas cronicamente. Tampouco posso entender nem aceitar que na Guatemala tenhamos 59% de crianças indígenas – indígenas! – desnutridas cronicamente. Nem consigo aceitar que a Guatemala ocupe o terceiro lugar na América Latina nos níveis de exclusão social e de desigualdade no Produto Interno Bruto e na distribuição deste. Porque, então, a grande pergunta é: "Sendo esse país tão violento, tão impune, tão racista, tão discriminatório, tão desigual, como é possível que 98% se considerem cristãos?"

Estamos tocando no ponto fundamental: "Que espécie de cristão sou eu?" Se alguém escolhe a vocação para a vida sacerdotal, ser pastor, ou decide também consagrar a vida na vida consagrada, por que não se pergunta antes: "Que espécie de cristão sou eu?"

Eu lhes dizia que essas incongruências, essas contradições levam, então, a abordar a questão de indagar-seque espécie de cristão quero ser; no caso alguém de que queira optar pelo sacerdócio e no caso de alguém que queira optar pela vida religiosa, a pergunta fundamental deve ser feita. E por isso – também para divulgar Aparecida, para que renovemos nossa vontade de ler o documento 131 de Aparecida – gostaria de ler algo que me parece sumamente importante, se quisermos realmente encontrar os caminhos e as indicações de reflexão para responder a esta pergunta: "Que significa ser um bom pastor hoje em dia?" A resposta é muito fácil. Eu lhes respondo: "Observem Jesus Cristo e façam o que Ele fez." Ponto final. Essa é a resposta, a resposta mais simples, porém a verdadeira. Entretanto, agora vou tratar de como relacionar isso com as circunstâncias históricas e com um pouco da experiência pastoral.

Sou bispo há 21 anos. Às vezes me parece que faz duas semanas, e outras, um século – depende do estado de ânimo e dos problemas que haja, mas faz 21 anos que tenho de estar na diocese de São Marcos, uma diocese que os senhores não têm ideia de onde fica. Estamos localizados na fronteira com Chiapas, perto da cidade de Tapachula, onde temos a oportunidade de ver passar centenas de hondurenhos e centenas de salvadorenhos que vão para o outro lado, para poder tomar o trem que os leve ao norte, embora agora o trem seja retido em Tapachula, agora parte de Arriaga, e suba, o que faz com que o fluxo migratório por esse lado diminua, mas não muito. O fluxo migratório aumenta, cresce, porque a pobreza está impelindo muita gente a buscar um destino melhor. É aí que nos localizamos, mas essa é a área baixa da diocese, porque na área alta temos as etnias *cipacapense*, que o padre João mencionava, e *mam*. São duas etnias que fazem parte da diocese na região alta das montanhas, onde estão as piores terras, onde tudo é montanhoso, onde as terras só têm vocação florestal. É a história, ou melhor, o menosprezo às populações indígenas encurraladas o mais longe possível, para que não nos incomodem nem nos perturbem a consciência, e lá arranjem um jeito de sobreviver.

No caso guatemalteco, isso ocorre há 400 anos – imaginem toda a história que vivemos –, aliás, há mais de 400 anos, porque no século XVI Francisco Marroquín, o primeiro bispo da Guatemala, escreveu uma carta ao rei da Espanha dizendo-lhe que proibira que os indígenas da região alta da Guatemala descessem até o litoral, porque, de três que desciam, apenas um voltava, pois um morria de doenças na área baixa e outro morria no caminho de volta. Essa história não terminou. Já não morrem tantos, mas continua a história da migração dos índios da parte alta de São Marcos até a zona das fazendas de café e das fazendas de bananas e das fazendas de Chiapas. É uma história cotidiana, e nesse sentido a pessoa se questiona sobre essas situações; mas isso serve apenas para lhes dar, rapidamente, um breve panorama da diocese de São Marcos, que tem um território de 4 mil quilômetros quadrados e quase 900 mil habitantes, com 40 sacerdotes e 68 religiosas, mas com muitos leigos e leigas comprometidos com a pastoral.

Esta é uma das riquezas da diocese de São Marcos: os laicos que são exemplares em seus compromissos e em seu serviço de dedicação às comunidades. Quantas vezes não me coube dizer a alguém: "Olhe, esta noite me convidaram a ir à aldeia tal, para fazer uma pregação", porque existe muito disso de celebrações, aniversários, visto que é um momento de encontro, é um momento no qual as pessoas se encontram, porque a vida é tão dura que agora eles mesmos nessas aldeias dizem: "Vamos celebrar uma festa espiritual!", porque são pessoas que deixaram de beber e dançar, e então dizem: "Vamos dar uma festa espiritual!" Contudo, é uma veia de escape da situação de sofrimento diário, sempre o mesmo: trabalho, trabalho e mais trabalho. Então, várias vezes coube a mim ir a uma dessas pregações, e de repente surge uma emergência, como acontece nesse querido país, e aí me dirijo a algumas pessoas que conheço e aviso: "Olhe, esta noite tenho uma pregação às oito horas em tal lugar, e já lhes estou informando às duas da tarde." Trata-se de gente que vive do seu trabalho, em uma pequena loja ou sítio. "Muito bem", me dizem eles, "onde é a pregação?" "Esse lugar é longe, é preciso sair daqui às cinco horas, porque são três horas de caminhada." "Isso não é problema, monsenhor, eu vou." "Vai mesmo?" "Vou, sim, não se preocupe."

Esse tipo de coisa me emociona, porque as pessoas não impõem condições, nenhuma condição; dizem apenas: "Eu vou, porque se trata de anunciar o Evangelho de Jesus Cristo." Essa é uma das riquezas da diocese de São Marcos, além de outras, porque então me dou conta de que, sem esse laicato, não sei o que faríamos. Em resumo, é uma diocese com todos os problemas da Guatemala nela concentrados: pobreza, exploração da mão de obra, latifúndios, minifúndios na região alta, impunidade, injustiças, uma diocese que sofreu severamente o conflito armado, porque nessa área nasceu uma das quatro frações guerrilheiras, a Orpa,[2] e então se desenvolveu em São Marcos, onde instalou todo o seu campo de ação. Os senhores podem imaginar a repressão que aconteceu ali na área. Quando cheguei a São Marcos, em setembro de 1989, contabilizamos 22 pessoas desaparecidas – e jamais se soube o que aconteceu com elas – que haviam sido reprimidas pelo exército da Guatemala para "fazê-las sentir o clima". Contudo, no documento 131 de Aparecida está escrito o seguinte: "O chamamento que faz Jesus, o Mestre implica uma grande nova. A nova é que na Antiguidade os mestres convidavam seus discípulos a vincular-se a algo transcendente: uma doutrina, uma tese, e os mestres da lei lhes propunham a adesão à Lei de Moisés. Jesus convida a nos encontrarmos com Ele."

Não é uma ideia, não é uma tese; não é algo transcendente, é alguém. É muito importante dizer isso. "E que nos vinculemos estritamente a Ele porque Ele é a fonte da vida e apenas Ele tem palavras de vida eterna. Logo os discípulos descobrem duas coisas em confronto com outros seguidores de outros mestres: primeiro, que não foram eles que escolheram seu mestre, foi Cristo que os escolheu; e, em segundo lugar, que não foram convocados para algo: purificar-se, aprender a lei, mas para alguém. Escolhidos para vincular-se intimamente à Sua pessoa. Jesus os escolheu para que ficassem com Ele e os enviou a pregar, para que o seguissem com a finalidade de pertencer a Ele, e formar parte dos Seus e participar de Sua missão.

Isso de que estou falando não se refere aos pastores, refere-se aos cristãos em geral, porque aqui estamos falando do conjunto de discípulos e dos batizados, somos discípulos e discípulas. "O discípulo vivencia que a vinculação íntima com Jesus no grupo dos seus é participar da vida, com uma saída maravilhosa das entranhas do Pai, é formar-se" – e é isso que me interessa –, "formar-se para

---

[2] Organización del Pueblo en Armas, a guerrilha comunista mais violenta da Guatemala. (N.T.)

assumir o mesmo estilo de vida e as mesmas motivações." Assim é o conjunto de discípulos: assumir o estilo de vida de Jesus e assumir as motivações de Jesus, seguir Sua mesma sorte. Monsenhor Romero seguiu a sorte de Jesus. Os mártires da UCA seguiram a sorte de Jesus, porque Jesus terminou crucificado. Passar pelo mesmo destino e assumir a responsabilidade de Sua missão de transformar em novas todas as coisas: sem essa convicção fundamental não se pode ser um bom pastor.

Afirmo isso porque, com minha experiência – também pessoal –, refleti e analisei primeiro o que vou dizer: às vezes nós, sacerdotes, acreditamos que, por sermos sacerdotes, não estamos obrigados a ser cristãos. Sei que parece contraditório, mas lhes dou apenas um exemplo, dentre outros, sem nenhuma intenção de julgar, de fatos simples: que acham os senhores de uma paróquia – já repeti isso várias vezes, e meu assistente bem o sabe – na qual, quando se entra na secretaria, vê-se um texto que o pároco escreveu: "Aqui não aceitamos imigrantes"? Isso é histórico, não é mentira. Obviamente, ninguém precisa escrever "Não aceitamos imigrantes" para não aceitá-los, porque pode ser que na prática não os aceite, embora não escreva isso. Uma das dificuldades que temos com a questão das imigrações é conseguir sensibilizar os cristãos em geral, inclusive sacerdotes, e também nós próprios como bispos, porque Jesus está presente em um imigrante. Encanta-me este texto do apóstolo Santiago: "Se os senhores estão reunidos e de repente entra alguém sujo, esfarrapado, que cheira mal" – bem, Santiago não disse isso, fui eu que acrescentei essa frase – "e está todo barbudo, com os sapatos esfarrapados porque não se sabe desde quando vem caminhando, então o que os senhores dizem?" Pergunta Santiago: "'Sente-se lá atrás, irmão, bem atrás'?" Por sua vez, diz ele: "Se entra alguém bem vestido, com anéis nas mãos e roupas elegantes, os senhores lhe dizem: 'Por favor, irmão, sente aqui na frente, este é seu lugar'?"

Como é difícil descobrir Jesus Cristo nos imigrantes! Há alguns anos, convidaram a mim e um irmão camponês para ir à Alemanha. Bem, chegamos ao aeroporto de Frankfurt, porque havia uma organização de camponeses que queria relacionar-se com outra organização camponesa de São Marcos. Eu usava um terno e o irmão ia comigo – somos amigos, não apenas irmãos, mas também amigos – e chegou nossa vez de passar pela imigração. Então fui adiante, e depois – bem, não percebi nada e me encaminhei para pegar a bagagem – virei de costas e ele não vinha; fiquei esperando, passaram-se 10, 15, 20 minutos, e ele não vinha. Abordei alguém para que me dissesse o que estava acontecendo, mas ninguém sabia dizer nada, e aí tive de sair porque estavam nos esperando lá fora. Expliquei às pessoas: "Lá atrás ficou o irmão camponês. Os senhores, por favor, vão averiguar o que está havendo; os senhores são alemães, falam alemão, por favor, vejam o que está acontecendo." Os fiscais da alfândega o soltaram depois de 35 minutos. Então eu me pus a pensar: "Por que o detiveram?" Porque viram sua aparência, ele não estava de terno como eu, e seu aspecto era de alguém muito simples.

Saber descobrir no outro um ser humano igual a mim, e baseado na fé cristã descobrir no outro o Cristo presente, é fundamental, é a chave para chegar a descobrir até onde se é um discípulo de Jesus e até onde se segue o estilo de Jesus. Não nos esqueçamos disso no caso dos sacerdotes, isto é, se um sacerdote, se um bispo dá tratamento preferencial a certas pessoas, não apenas vai escandalizar os que têm sensibilidade, mas principalmente vai magoar profundamente a alma e o espírito dos que são discriminados. E a discriminação não é só como no caso da Guatemala, onde lhe dizem: "Você é índio, é cabeça-dura como um índio." Esta, aliás, é uma frase que se escuta muitas vezes, não é mesmo? "Você é teimoso como um índio." Na Guatemala utilizam essa e outras expressões para dizer que "índio é alguém que não vale nada, que é teimoso como uma mula". Que existe por trás dessas palavras? Existe um espírito racista e preconceituoso.

Deve-se, portanto, seguir as atitudes de Jesus, para ser seus discípulos e seguidores. Por isso a resposta à convocação do discipulado[3] – estou partindo do básico, e depois vou me adiantar e aplicar isso à vida sacerdotal –, a resposta ao discipulado, exige fazer parte – referimo-nos aos bispos – da dinâmica do bom samaritano, que nos impele a agir de modo semelhante ao Dele, especialmente com quem sofre, e gerar uma sociedade sem excluídos, seguindo a prática de Jesus, que fazia suas refeições com cobradores de impostos e pecadores. "Zaqueu, desce daí porque hoje vou comer na sua casa." Diz o Evangelho que Zaqueu desceu rapidamente: como não iria fazê-lo, se o que ele queria era encontrar-se com aquela personagem da qual talvez já tivesse ouvido falar ou dizer coisas? Afirmei que "desceu rapidamente" porque havia subido na árvore por ser muito baixinho, pequenininho, e não conseguia ver Jesus. Quando Jesus estava na casa de Zaqueu, começaram as situações descritas pelo Evangelho.

Zaqueu se levanta e diz a todos: "Vejam!" – esta é minha interpretação, não é o texto do Evangelho – "Vejam, fui ladrão, corrupto, roubei muita gente. Os senhores sabem que eu, como cobrador de impostos, exijo que paguem imposto aos invasores romanos, mas é disso que vivo, é disso que vivo. Esse é meu trabalho, isso é o que tenho de fazer, mas infelizmente sempre fiquei com parte do que lhes cobro, porque também tenho direito a isso, pois é meu trabalho, mas hoje quero lhes dizer: vou devolver quatro vezes mais o que lhes roubei, e do que sobrar vou dividir metade para mim e a outra metade vou dar aos pobres."

Várias vezes encontramos no Evangelho a atitude dos fariseus diante do ato de Jesus, que Se deixou tocar por uma prostituta. Nós da diocese temos um programa de atendimento às meretrizes. Há uma comunidade de religiosas que toda semana, sem falta – porque

---

[3] Conjunto de discípulos ou alunos. (N.T.)

são religiosas, claro –, vão visitar os bares do povoado onde elas estão. Toda semana vão visitar os bares para encontrar-se com as moças, e sempre vão de manhã, porque à noite as prostitutas estão ocupadas. É claro que, nessa paróquia, quando começamos a agir dessa maneira, foi um escândalo: "Como é possível que uma religiosa entre num bordel?" E às vezes alguma dessas religiosas é jovem e não é feia, e acontece que um homem se aproxima dela e pergunta: "Está pronta para vir comigo?" "Não, senhor, não é bem assim: sou freira, estou pregando o Evangelho aqui para essas mulheres." E isso faz com que algumas delas perguntem aos homens: "O senhor veio fazer o que aqui? Por que veio se aproveitar delas?" etc. Elas fazem seu trabalho de evangelização. Mas quando a prostituta toca em Jesus, que diz o fariseu? "Se esse é o profeta, como se deixa tocar por essa mulher?"

Já o Evangelho antigo me encanta. Porque reflete, por um lado, a misericórdia infinita de Deus por uma pessoa, seja homem ou mulher, e, por outro, como o Senhor devolve a dignidade à mulher quando fica sozinho com ela e lhe diz: "Onde estão os que te condenam?" Como agora estamos na assembleia do Sicsal – Servicio Internacional Cristiano de Solidaridad con los pueblos de América Latina –, fizemos um balanço das ameaças globais que temos e se falou muito dos assassinatos de mulheres. No ano passado, na Colômbia, houve um encontro sobre esse assunto do qual participaram pessoas do Sicsal, e uma das irmãs e amigas e mulheres que faziam parte da assembleia disse, quando refletíamos na missa: "É interessante que o Senhor Jesus haja evidenciado que o pecado não era apenas da mulher, como diziam os homens, mas que era dos dois, porque não haveria adultério se não houvesse um homem, de maneira que o Senhor não somente devolve a dignidade à mulher, como também joga na cara dos homens sua hipocrisia." Gosto sempre de repetir isso, porque é verdade. Os senhores sabem que em espanhol usamos esta frase: "Que velho safado!" Assim dizemos quando nos referimos a homens idosos que se aproveitam das jovens e de mulheres de certa idade e já estão muito "passados". Entretanto, gosto de reafirmar sempre que os primeiros desse tipo de que temos conhecimento foram aqueles a quem o Senhor disse: "Aquele que estiver sem pecado, que atire a primeira pedra!"; eram os mais velhos, disse São João, os velhos sem-vergonha, os velhos sem-vergonha.

A esta altura começamos a abordar o assunto que tem a ver com o caso de nossos sacerdotes. Um bom pastor precisa ter a capacidade, a disposição, o modo de ser, o comportamento de Jesus. Não deve ter vergonha de aproximar-se dos assim chamados pecadores ou pecadoras. É muito mais fácil enfocar o problema da sexualidade – como muito bem disse a irmã, a amiga – como se a fonte do pecado fossem apenas as mulheres – o que não é verdade –, mas há outros aspectos a considerar na relação homem e mulher em outra perspectiva diferente. E aqui abordamos o tema que lhes ressaltei antes: o da maturidade, não somente a capacidade de relacionar-me com homens e mulheres que têm ou que não têm consciência de seu pecado – que não forçosamente é um pecado contra a sexualidade, com toda essa nossa gama de fragilidades humanas – como também a capacidade que o bom pastor tem de tratar mulheres e homens com o respeito que homens e mulheres merecem.

Neste ponto versamos sobre um assunto que tem muito a ver com o que se discute muitas vezes: a questão do celibato na Igreja Católica ocidental, porque a Igreja Católica oriental permite a ordenação de homens casados. Esse é um tema sempre discutido. Participei de duas grandes assembleias: a assembleia especial do Sínodo da América e a de Aparecida, no Brasil, e em nenhum momento o assunto do celibato foi sequer mencionado. Falar claramente sobre a situação dos sacerdotes, de religiosos, homens, é o que mais acontece: diz-se que eles não tiveram uma formação humana que lhes possibilite viver o celibato de maneira alegre, prazerosa, realizada, e que realmente lhes facilite ter a capacidade de relacionar-se com homens e mulheres da mesma forma. A partir daí discutiremos o tema da formação da maturidade afetiva. Estou certo de que se passarão ainda uns 25 anos até que essa questão possa ser discutida ou, quem sabe, talvez menos tempo, mas nas duas assembleias a que assisti, quando alguns bispos abordaram o tema, imediatamente veio a reação: "Não, não e não! Não vamos discutir esse assunto porque faz o Santo Padre sofrer." Bem, foi isso que disse um bispo no Sínodo da América.

No Sínodo da América, eu estava em um grupo de bispos quando um deles começou o debate dizendo, em forma de colaboração: "Olhem, estamos falando muito da necessidade da celebração da eucaristia. Venho de uma região muito extensa, onde há comunidades que só podem celebrar a eucaristia uma vez por ano." Continuou ele: "Por que não apresentamos esse problema ou, melhor dizendo, por que não se encontra uma solução para isso, ordenando-se homens casados?" Imediatamente disse um, e logo depois outro: "De forma alguma! Essa questão faz o Santo Padre sofrer."

Aí terminou a discussão, porque, claro, um dos que intervieram era um cardeal, e, diante de um cardeal, lamentavelmente muitas vezes nós, bispos, parecemos anular nossa personalidade, nossa maneira de ser, parece que a perdemos... Isso tem a ver com este assunto – o qual poderíamos estar discutindo há muito tempo –, ou seja, a capacidade de poder lidar com homens e mulheres, pecadores e não pecadores, justos e injustos. Muitas vezes me ponho a pensar: se eu soubesse quem foi o assassino de monsenhor Juan Gerardi... E se, depois que ele foi morto, eu chegasse à conferência episcopal onde ele morava, em um quarto, assim como todos nós, bispos, eu diria: "Ah, tomara que me aparecesse monsenhor Gerardi aqui, depois de morto! A princípio eu teria medo, mas depois lhe perguntaria: 'Quem o matou o monsenhor? Conte-me, por favor!'" Eu queria saber quem foi, porque até hoje não se tem a resposta. Mas que faria eu se soubesse quem assassinou monsenhor Gerardi? Claro, se quero ser um pastor com o comportamento de Jesus, eu teria de mudar a pergunta: que faria Jesus se encontrasse o criminoso? Que faria Jesus se deparasse com os assassinos que massacraram tantas pessoas na Guatemala? Esse é um ponto em que é preciso ter muita cautela, e eu disse isso aos bispos da Guatemala.

Não se deve confundir perdão com impunidade, tampouco exigência de justiça com reconciliação. Este foi um dos grandes méritos de monsenhor Gerardi: o de recordar que a verdade dói, mas é saudável. E esse é um dos problemas que temos na Guatemala. Em minha opinião, a Guatemala é uma sociedade ferida, ferida essencialmente, porque ainda não conseguimos levar a população guatemalteca a um profundo exame de consciência e uma análise que permitam ao povo descobrir quais são suas feridas, para poder curá-las. Abordamos, então, outro assunto, que tem a ver diretamente com o fato de ser bom pastor. O bom pastor não pode, de maneira alguma, ficar indiferente ao sofrimento ao seu redor, simplesmente não pode, isto é, até pode, mas não deve. De maneira alguma. O bom pastor deve ser aquele que compartilha o sofrimento, a dor ao seu redor. Isso pressupõe uma capacidade de descobrir e perceber onde está o sofrimento, porque pode ser que ao meu redor haja muita gente que sofre, mas eu não tenha os olhos abertos para notar esse sofrimento. Não tenho nem sequer a sensibilidade, as fibras da sensibilidade para poder compadecer-me da dor dessas pessoas.

É verdadeiro este ditado castelhano: "O que os olhos não veem, o coração não sente." E esse é um grande risco para mim como bispo, um grande risco para um sacerdote, um grande risco também para qualquer comunidade religiosa e para qualquer cristão. Nas palavras de Samuel Ruiz – não sei se ele anda por aqui, mas, se for o caso, certamente se lembra deste exemplo que nos deu certa vez: "Pode ser que sejamos peixes adormecidos." Então lhe perguntamos: "Que quer dizer isso de sermos peixes adormecidos?" E ele respondeu: "É muito fácil: os peixes, quando dormem, mantêm os olhos abertos." E arrematou: "Não devemos ser peixes cristãos ador-

Ministério Episcopal: serviço aos mais pobres ❧ 163

mecidos." Que acontece com um sacerdote que não vibra, não se compadece, não reage ante o sofrimento? Bem, pode haver várias razões; pode ser que não queira ver e se encerre em seu pequeno mundo onde nada lhe falta e onde ele está muito tranquilo, cumpre a rigor suas obrigações, reza o breviário todos os dias, celebra a Eucaristia diariamente, medita e faz sua *lectio divina*[4] todos os dias, mas, quando batem à sua porta e alguém diz: "Queria falar com o padre", uma pessoa responde: "Ah, lamento, mas já passou da hora de atendimento, que vai das oito da manhã ao meio-dia, e agora é meio-dia e quinze. O senhor chegou 15 minutos atrasado, volte às três horas", diz a secretária ou o secretário. "Volte às três, porque o padre precisa dormir sua sesta, senão ele perde o controle e todo o equilíbrio psicológico de que precisa para trabalhar as três horas restantes da tarde, entende? Porque o horário de atendimento se encerra às seis da tarde, porque ele trabalha muito durante o dia."

Certamente, estou exagerando, mas essa é uma forma, um modo de dizer as coisas. Há alguns meses discuti esse assunto com um sacerdote, que me disse: "O senhor, como bispo, precisa ser um administrador; tem de saber administrar, precisa ter os arquivos da cúria bem organizados, as escrituras dos bens da Igreja bem ordenadas etc." "Não, espere aí, não é bem assim", respondi-lhe, aborrecido. Normalmente, não reajo assim; por causa de minha personalidade, e não por virtude, não me aborreço com facilidade, mas dessa vez me irritei e disse a ele: "Escute, antes de mais nada, sou bispo, e ser bispo para mim significa isto, isto e isto, e o último elemento na minha lista de responsabilidades como bispo é a administração. E, graças a Deus", continuei, "a diocese não tem bens, porque não gostaria de perder meu tempo tomando conta do aluguel de uma casa, do aluguel de outro imóvel, disso e daquilo etc."

---

[4] Leitura divina, leitura espiritual ou leitura sagrada, prática tradicional católica de oração e leitura bíblica. (N.T.)

Não há dúvida de que se precisa administrar o pouco que se tem para atender às necessidades, mas isso não deve ser uma prioridade. Portanto, um pastor que fica insensível ante o sofrimento, que não se compadece de quem sofre, não é um pastor como Jesus. Jesus chorou ao ver que seu povo, seu próprio povo, não o queria aceitar; chorou sobre Jerusalém, chorou! Chorou também por seu amigo Lázaro. Como é possível nos reconhecermos, sendo bispos ou sacerdotes, como seres humanos com sentimentos, se um dos sentimentos que devem prevalecer em nossas vidas é o sentimento da misericórdia, da compaixão? Por que será que às vezes muitos fiéis já não acreditam em nós? Encontro uma resposta para isso: porque muitas vezes lhes falamos apenas com palavras, não com o coração. Eventualmente, isso é fruto da formação equivocadíssima que recebemos: o senhor tem de reprimir seus sentimentos! O senhor não deve demonstrar o que sente! É isso mesmo, o senhor tem de ser como uma esfinge que não se sabe o que ela pensa, muito menos o que sente! Então como vamos fazer as pessoas sentirem que as amamos, que as estimamos? É muito fácil gostar de quem nos faz bem, diz Jesus; é mais difícil gostar de quem nos faz mal.

E é muito mais fácil que eu fique muito agradecido a alguém que me convida toda semana a fazer uma refeição em sua casa, e prepara uma excelente refeição na sua residência muito elegante. É muito mais fácil gostar dessa pessoa do que gostar do irmão camponês que me convida, me faz entrar em seu rancho de piso de terra, com um único aposento de tábuas, que de manhã deixa o frio entrar onde está um catre aqui, outro ali, mais um ali, porque são oito pessoas e só existe esse espaço, como me disse uma irmã religiosa que visitou um sítio lá em São Marcos. Ela me disse: "Monsenhor" – ela vem do Brasil –, "nunca me havia acontecido o que aconteceu." "E que foi, irmã?", perguntei-lhe. "Precisei ir a um sítio, a noite chegou e já não encontrei transporte para voltar, então uma das famílias me convidou para dormir em sua casa." "Bem, e que lhe aconteceu?", perguntei, "que nunca lhe havia acontecido?" "Monsenhor", disse-me, "eu nunca havia dormido perto de um porco e três galinhas." "Irmã", falei, "isso para mim não é novidade", e então lhe contei que certa vez me coube chegar a uma aldeia à beira do vulcão de Tajumulco, o mais alto da América Central, e uma pessoa me disse: "Monsenhor, o senhor vai dormir aqui porque já está tarde." Era a época do conflito armado, e o ambiente era perigoso. "Está bem", respondi, "com muito prazer." Fizeram-me entrar em um quarto um pouco maior do que aquele de que a irmã me falou, e o casal me cedeu sua cama, porque eu era bispo, o que para mim foi motivo de agradecimento, porque o gesto demonstrou carinho, e então nos deitamos. No chão deitaram os filhos e os esposos, e eu fiquei na cama. Eram duas da manhã – lembro-me bem porque olhei para o relógio – quando ouvi o canto de um galo. Eu me assustei, claro, acordei, e tratei de permanecer onde estava. O galo voltou a cantar e aí me dei conta de que ele estava debaixo da minha cama, que era onde o animal costumava dormir. No dia seguinte, a história foi razão de brincadeira, e eu lhes disse: "Que ideia foi essa de pôr o galo ali? Nem pensaram que pode vir uma doninha e comer o galo?" Tudo bem, não me incomodei.

O bom pastor – não digo isso porque agi dessa forma daquela vez; de jeito nenhum, porque nunca mais fiz isso – precisa ter a capacidade de transmitir que ama as pessoas não por interesse – como diz muito bem o apóstolo Pedro –, nem para visar a benefícios pecuniários, mas porque se trata realmente de amor pastoral, sem dúvida. Eu lhes digo: é muito mais fácil que alguém me convide a ir à sua casa luxuosa para jantar todos os sábados e que eu pense: "Estou aqui para evangelizar os ricos, é por essa razão." Sim, é preciso evangelizá-los também, como afirmo: é preciso pregar o Evangelho para dizer: "Ouça, irmão: o senhor possui tantos bens que deve repartir parte deles; compartilhe-os!" Se você vai a uma casa de gente abastada com essa intenção, perfeito; porém, é muito mais difícil chegar a ambientes pobres, onde muitas vezes as pessoas, por falta de uma educação formal e de uma família integrada, nem sequer lhe agradecem o que você faz. Nesse caso, é preciso entender que você vai fazer as coisas não para que lhe agradeçam, mas porque ama as pessoas.

Por isso eu disse: "Que quer dizer ser um bom pastor?" É muito simples: ama a Deus com todo o coração, com toda a alma, com todo o ser e com toda a inteligência, e ama o teu próximo como a ti mesmo, e serás um excelente pastor! Essa é a resposta. Já disse também que é o Senhor que convoca a pessoa para o ministério sacerdotal, é o Senhor que convoca a pessoa para a vida do matrimônio, é o Senhor que convoca a pessoa para a vida consagrada. E Jesus, no Evangelho de São João, proferiu esta frase: "Já não vos chamo servos", disse aos apóstolos, "mas vos chamo meus amigos, porque vos dei a conhecer tudo que ouvi de meu Pai, os mistérios do Reino, por isso sede meus amigos." Eu me fiz esta pergunta: que pode indicar, no caso de nós, sacerdotes e bispos, se somos mesmo amigos do Amigo com maiúscula? Esta é a resposta a que cheguei: se sou amigo dos amigos e amigas preferidos de Jesus, realmente sou amigo Dele. Depois vem a segunda pergunta: e quem são os amigos e amigas preferidos de Jesus? Encontramos a resposta no Evangelho: os pobres, enfermos e enfermas, prostitutas, prisioneiros.

Nos dois últimos anos trabalhei na Pastoral Penitenciária na Guatemala. Quando se vai a essas prisões guatemaltecas – fui a uma cadeia a que chamam de inferno, não somente porque faz muito calor, localiza-se na zona de Escuintla –, lá se encontram os delinquentes mais perigosos que se possa imaginar: assassinos, sequestradores, mas não assassinos de uma pessoa, e sim assassinos em série, de 14, 16 pessoas, por isso chamam essa penitenciária de inferno. Quando se chega lá, a pergunta que se faz ao ver os rostos dessas criaturas e depois de saber tudo o que fizeram é: serão mesmo filhos e filhas de Deus? Principalmente quando depois se conversa com algum deles:

"Não estou arrependido. Assassinei fulano, beltrano e sicrano, e se eu tivesse de voltar a matar todos eles de novo, *não ia ter* nenhum problema." É quando o visitante depara com o drama da liberdade humana, que pode se orientar para o mal, o mal em si. Mas, então, quem são esses amigos de Jesus? Os prisioneiros também. "Eu estive na prisão e fostes me visitar." Os imigrantes – bem, já falei um pouco sobre eles. Quantas vezes se chega à casa do imigrante onde meu secretário é o responsável, na Cidade da Guatemala, ou a outra cidade que lhes coube, e eles dizem: "Senhor, a gente precisa que nos abriguem." "Bem, vocês podem ficar aqui por três dias, para que outros também tenham oportunidade. Aqui terão água para tomar banho, comida para que se alimentem, um pouco de roupa e sapatos, se precisarem." Qual costuma ser a reação de alguém diante de um imigrante? "Ah, esse aí é ladrão. Falta só saber o que ele roubou." É verdade que há casos de imigrantes que são ladrões, mas eles não são a maioria. Dá para se perceber imediatamente quando se trata de uma pessoa honrada, que imigrou por necessidade. Esses, porém, são os amigos preferidos de Jesus. Não sou eu que digo, é Ele.

Volto a repetir: se eu quiser ser pastor, tenho de seguir as atitudes de Cristo. Os marginalizados pela sociedade, os pecadores e as pecadoras, os explorados por qualquer sistema econômico, seja o que for, e, como dissemos em Aparecida, os que sobram, os descartáveis. Esta frase foi usada por nós em Aparecida, e os senhores, no documento de número 65, podem encontrar o que escrevemos: "Devemos observar os rostos daqueles que sofrem, se quisermos realmente realizar uma globalização diferente que seja marcada pela solidariedade, pela justiça e pelo respeito aos direitos humanos." Para conseguir uma globalização da solidariedade, temos de observar os rostos dos que sofrem, não somente observá-los, mas agir em favor das comunidades indígenas e afro-americanas, mulheres excluídas em razão de seu sexo, raça ou situação socioeconômica, jovens que recebem educação de baixa qualidade, pobres, desempregados, imigrantes, os que são forçados a deixar suas casas, camponeses sem terra – a Guatemala nunca teve reforma agrária.

Uma das lutas pessoais – se assim posso dizer, mas convencido por toda uma série de razões – na qual quero engajar-me cada vez mais e que para mim é como um sonho distante é conseguir realizar a reforma agrária na Guatemala. Todavia, às vezes custa convencer alguns pastores de que a reforma agrária é um instrumento necessário para mudar as estruturas que geram injustiça e pobreza no país. Isso para alguns é eventualmente decepcionante, em particular quando se sabe que a maioria de nossos sacerdotes vem de famílias de camponeses. Muitos deles sabem o que significa cortar café nos sítios, passar fome, ficar encharcado quando chovia, mas o trabalho precisa continuar etc. Os explorados, os irmãos e as irmãs camponeses, meninos e meninas submetidos à prostituição infantil. Acredito que a Igreja Católica não fará jamais o suficiente para pedir perdão por todos os casos de abusos de menores. Essa é uma ferida muito profunda que a Igreja vai precisar ir curando, não apenas pedindo perdão, mas também procurando outras maneiras de realmente assegurar que estamos em um processo de transformação e também em um processo no qual a justiça precisa prevalecer.

Meninas vítimas de aborto, milhões de pessoas e famílias que vivem na miséria, viciados em drogas, pessoas com necessidades especiais, aidéticos, os que sofrem de solidão, anciãos. O documento número 65 de Aparecida mostra os rostos dos que sofrem. O pastor que não saiba descobrir neles a presença de Jesus deve se questionar seriamente sobre que tipo de pastor quer ser... O cristão, religioso ou não, que não saiba enxergar, o rosto de Cristo nos rostos dessas pessoas sofredoras deve se perguntar que tipo de cristão ele é, que tipo de discípulo ele é... Nós fomos convocados a ser pastores, não mercenários. Jesus diz claramente no Evangelho de São João, no capítulo 10: "O bom pastor dá a vida pelas ovelhas." O mercenário, o assalariado, não. Estamos dispostos a dar a vida pelo rebanho que nos foi confiado, a nos expormos aos perigos, sem condições, sem temores – sim, sem temores –, porque o Senhor disse: "Não tenhas medo, estou contigo!" Embora seja verdade que, no fundo, se sente medo, sim. "Mas não tenhas medo, estou contigo!" Há uma entrega profunda e total de nós mesmos, até darmos pedaços de pão aos que têm fome, e água fresca a quem tem sede.

Como é triste quando um fiel se aproxima e de você diz: "Escute uma coisa, monsenhor. Fui procurar o padre fulano, porque precisava muito que ele me escutasse, estava passando por um momento muito grave e difícil. Abordei o padre e lhe perguntei: 'Padre, irmãos e irmãs; o senhor poderia fazer a gentileza de me atender?' 'Lamento', respondeu, 'agora não posso porque preciso... não, agora não posso'." O padre podia escutá-lo, sim, mas não o fez. "Por que não volta daqui a três dias?" "Padre, o assunto é muito urgente." "Já lhe disse que não posso agora." Então esse fiel me disse: "Para que eu ia voltar dali a três dias, se eu precisava naquele momento que o padre me escutasse por pelo menos cinco minutos? Era só disso que eu precisava."

Portanto, doe-se. O pastor não apenas lava os pés de seus irmãos e irmãs, como também entrega sua existência de modo radical em favor dos demais. Não se trata apenas de sermos pacientes, amáveis, generosos, altruístas, bons contadores de piadas para causar alegria, não se trata só disso, embora rir seja recomendável, porque é um remédio infalível, e ajuda quando um sacerdote conta uma piada e alegra a comunidade. É muito mais do que isso: é morrer a cada dia, momento a momento, em favor dos outros. Acredito que temos de dizer isto com muita clareza aos seminaristas: "Os senhores querem ser pastores? Eis o que os espera! Não pensem que o que os senhores devem procurar, porque querem ser sacerdotes, é: 'Quando eu me ordenar, vou ter um carro, um aparelho de televisão, um computador, vou ter tudo que...' Vamos com calma! De onde é que você vem? Eu sei, sei quem são seus pais. Sei que seu pai ganha a vida dando duro todos os dias. Você está pensando em ser sacerdote para mudar de *status*? Se é essa sua intenção... saia dessa! A coisa não funciona assim." Aí está o desafio. O importante é a qualidade, não a quantidade. Aí está o desafio para um bispo antes de ordenar, de impor as mãos a um sacerdote; eu as impus a Manfredo, mas estou certo de que ele está se saindo bem e que não vai me deixar de cara no chão diante de todos.

O bom pastor é um servidor, não somos chefes nem caciques. É triste, mas na Guatemala também se usa este ditado: "A pior cunha é aquela da mesma madeira." É verdade; às vezes se descobre que sacerdotes que se originam de comunidades indígenas se tornam caciques de suas próprias comunidades, esquecem-se de que são servidores, impõem, mandam, são autoritários, não estimulam o diálogo. "Se o Papa Paulo VI disse que o diálogo é a arte da comunicação, por que não dialogas?" "Não, aqui sou o pároco, sou eu que mando. Os senhores só têm de fazer o que eu mando!" "Não concordo; não foi essa a formação que lhe demos no seminário. Nós o formamos para que seja um homem de diálogo, que saiba escutar. O senhor está pior que os presidentes da República, que já não ouvem o clamor do povo. Está pior que os deputados do Congresso, que ignoram o que o povo lhes diz." Não dialogam, não respeitam as diferenças. Gosto muito desta frase de monsenhor Romero: "O povo me ensina." Claro, eles promovem a justiça, uma nova sociedade, mas tudo isso só ocorre quando, como dizia muito bem monsenhor Romero: "O sacerdote, o bispo têm a consciência de se comprometerem cada vez mais para assimilar Jesus Cristo cada vez mais." Li esta frase que ele escreveu em um de seus retiros espirituais: "Preciso prestar atenção para ir cada vez mais seguindo o exemplo de Jesus." Não é a frase exata, mas a ideia era esta: transformar-me cada vez mais para viver o radicalismo do Evangelho. Porque somos pastores, não somos mercenários. Quero terminar por aqui, porque já me estendi demais, dizendo que nós também, em Aparecida, dissemos coisas fundamentais para os que querem ser pastores, principalmente sobre a questão da opção preferencial pelos pobres. Nós, quanto ao tema 8 do documento de Aparecida, afirmamos, no documento 396: "Que isso é uma responsabilidade e um compromisso que assumimos, e que agora nosso esforço é tratar também de que os sacerdotes, nossos irmãos, nossos amigos e nossos colaboradores vivam dessa maneira. Nós nos comprometemos a trabalhar para que nossa Igreja latino-americana e caribenha continue sendo com maior afinco a companheira do caminho de nossos irmãos mais pobres, inclusive até o martírio." Isso está no documento 396 de Aparecida: não sei se nos demos conta do que escrevemos e assinamos, mas já está escrito e assinado.

Hoje, queremos ratificar e potencializar a opção pelo amor preferencial feita nas conferências de Medellín, Puebla e Santo Domingo. Que seja preferencial implica que deve atravessar todas as nossas estruturas e prioridades pastorais. Por isso vocês se concentraram na mensagem de Pedro Casaldáliga: "mística e política". Aí está: "mística e política". Se você se mete na política, na busca do bem comum, excelente, mas se você não o faz baseado na mística, não vai ser constante, vai ceder muito facilmente às tentações do poder, do dinheiro, do "se dar bem" etc. Contudo, se você o faz a partir da mística, vai chegar a ser um mártir como monsenhor Romero. Esse vai ser seu destino nesses países, de modo que vá se preparando, não porque Deus queira isso para você, mas é muito possível que seja assim, muito possível. Termino assim: quais são, a meu ver – vou ressaltar apenas com palavras –, as dificuldades que um bom pastor encontra para ser um bom pastor? Fora das hipóteses que assinalei. O primeiro obstáculo – disse muito bem o Papa Bento XVI na mensagem da Quaresma – é a autossuficiência: "Não preciso de ninguém. Consigo resolver tudo."

Digo isso no sentido também de que o bom pastor precisa evitar dois complexos: o complexo de superioridade e o de inferioridade. Isso tem a ver com a maturidade humana, como lhes disse eu. Outra dificuldade: o isolamento. Quando o sacerdote não se integra a seu presbitério, quando não se integra à comunhão da comunidade, quando não trata as irmãs religiosas como irmãs, quando não trata os leigos e as leigas como sua família, vai se isolando e deixando de ser um bom pastor e se transforma em um indivíduo que procura fazer as coisas sozinho, o que tem a ver com a autossuficiência. E isso não há quem aguente. É claro que esses aspectos às vezes se relacionam com a solidão, principalmente nas regiões mais isoladas, montanhosas, onde a solidão muitas vezes é má conselheira, por diversas razões.

Outra grande dificuldade para ser um bom pastor: a ânsia do carreirismo. Não tenho certeza, mas acho que na Igreja se deveriam eliminar os títulos. É isso mesmo. Dever-se-iam eliminar os títulos porque eles são uma grande tentação: "É monsenhor aqui, monsenhor acolá, cônego aqui etc." Graças a Deus, a nova legislação da Igreja antevê a possibilidade de suprimir os capítulos referentes aos cônegos. Algumas dioceses o fizeram, outras não. Teria sido melhor eliminá-los logo de uma vez, proibi-los, fazê-los desaparecer. Na Alemanha e na Itália, é grave dizer-se: "Vou suprimir o conselho dos cônegos", todo mundo ataca. Mas é preciso perguntar se não é por aí a fissura por onde muitas vezes vai entrando a falta de credibilidade na Igreja institucional. Deixar-se levar pelo desejo de fazer carreira é gravíssimo e uma enorme tentação! Por isso, sem dúvida, é aí que deveriam começar as mudanças estruturais de que a Igreja necessita, mas essas mudanças nem vocês nem eu vamos constatar, de modo que não vale a pena falar delas; seria um desperdício de energia e um imenso perigo, uma enorme dificuldade, e estou agora realmente terminando este texto.

O bom pastor não vai ser um bom pastor se, em lugar de deixar-se levar pelo espírito, tratar de impor-se a ele. Jesus disse: "O vento sopra onde quer." E às vezes a pessoa se pergunta: "Senhor, o que desejas de mim?" E aí interfere aquilo em que os jesuítas são especialistas: o discernimento espiritual, fazer realmente da vida uma realidade que procure sempre adaptar-se ao que Deus quer, e não ao que a pessoa quer. O Papa Bento XVI, na sua mensagem da Quaresma, disse: "Qual é o conceito de justiça no Antigo Testamento?" E assinalou: "O conceito de justiça no Antigo Testamento é duplo." Por um lado, justiça quer dizer: adaptar minha vida à vontade de Deus. Isso é justiça. Além disso, justiça é ter um comportamento de igualdade em relação aos mais vulneráveis, que no Antigo Testamento são os forasteiros, os órfãos e as viúvas. Procurar em tudo a vontade de Deus, para que seja Ele quem apareça, não eu. Então, nesse sentido, volto a repetir: o desafio sempre será "Leva-me" e não "Eu te levo aonde quero". Digamos ao espírito: "Leva-me, leva-me aonde quiseres". E às vezes os caminhos de Deus são inexplicáveis.

Anexo

Após a palestra de Álvaro Ramazzini, foi aberto um debate entre ouvintes, moderadores e o autor, reproduzido abaixo.

Pergunta: Irmão Ramazzini, que se está fazendo na diocese de São Marcos na luta pela dignidade da mulher e pela igualdade de direitos?

Ramazzini: Bem, no caso de São Marcos, temos um programa que se chama "Pastoral da Mulher", que está a cargo de uma comunidade de religiosas e também de mulheres não evangelizadas, e se vem trabalhando – porque vocês sabem que na Guatemala, como aqui, o machismo é muito forte, e no esforço de realizar esse programa tratamos igualmente de convencer os maridos para que também eles escutem um pouco do que se diz às suas esposas. Estamos reforçando muito a pastoral juvenil nos aspectos sociais, econômicos e culturais, pois estamos nos esforçando para revalorizar a dignidade da mulher, porque ocorrem muitos casos de violência doméstica, de abusos sexuais de familiares contra mocinhas, e temos, além disso, vários casos de mães solteiras. No nível intereclesiástico, assim, tratamos de fomentar a participação das mulheres nos ministérios, ministras da Eucaristia, leitoras da palavra de Deus, animadoras da comunidade; estamos também insistindo muito em uma participação mais diretamente política das mulheres. É isso que estamos fazendo lá na diocese.

Pergunta: Nossa Igreja, como instituição, necessita de uma grande reforma para alcançar os objetivos definidos em Aparecida. Isso quer dizer que Aparecida é uma utopia?

Ramazzini: Não, para mim não é uma utopia. É claro que, sem dúvida, vai exigir uma mudança de mentalidade de nós, bispos, de nossos sacerdotes, com os quais temos maior responsabilidade, em um laicato também comprometido. Esse processo vai demorar anos, mas não é uma utopia, porque não estamos dizendo coisas exageradamente novas nem absolutamente impossíveis. Ainda há caminhos a trilhar lá em Aparecida, em especial na questão, por exemplo, de mudar as estruturas eclesiásticas. Não, eu não considero que seja uma utopia.

Pergunta: Que mensagem o senhor pode deixar ao povo salvadorenho no atual momento de crise econômica e social, de acordo com o pensamento de monsenhor Romero?
Ramazzini: Bem, que ponham em prática o que ele ensinou; é isso aí.

Pergunta: Que podemos fazer quando um padre não deixa leigos e leigas agirem nem exercer o discipulado?
Ramazzini: Bem, isso é muito grave, porque, se ele não deixa crescer o discipulado, que está fazendo? Quando se trata de que o sacerdote incentive para poder exercer o discipulado... Nesse caso, o que é preciso fazer, então, é aproximar-se dele e fazê-lo ver que seu comportamento não é o indicado pastoralmente, e que os laicos fiéis têm o direito e a obrigação de fazer com que nós, bispos, e nós, sacerdotes, ouçamos suas necessidades e inquietações, de maneira que os senhores não precisam ter medo de abordá-los. É possível que um sacerdote use de chantagem e diga: "Se é assim, vou embora da paróquia." "Tudo bem, vá embora se quiser, pois a decisão não lhe pertence, isto é, essa decisão não lhe cabe tomar; é o bispo que decide." Acredito, porém, que é importantíssimo criar relações humanas transparentes, claras e francas entre fiéis e sacerdotes. Acho que temos nos esquecido muito de aplicar o capítulo 18 de São Mateus: "Se teu irmão pecar contra ti, vai e repreende-o. Se não te ouvir, porém, toma contigo mais uma ou duas pessoas. Caso não te dê ouvidos, conta a toda a comunidade." Creio que temos de aplicar muito isso nas comunidades.

Pergunta: Por que o senhor diz que devem tirar os títulos da Igreja, se nossa sociedade os está pedindo, porque hoje em dia nossa sociedade não somente quer que se celebrem missas, como também que ajudem, por exemplo, a dar aulas em universidades?

Ramazzini: Bem, nesse caso há uma consideração dupla. Quando me refiro a títulos, estou falando de qualquer tipo de títulos, e afirmo que eles deveriam ser excluídos porque é uma grave questão ser pastor sem ser assalariado. É nesse sentido que quis falar dos títulos. E digo, também, no sentido de que não entendo por que preciso adaptar-me ao que a sociedade pede, quando deveria ser o contrário. A sociedade é que deve adaptar-se ao que pede o Evangelho, e no Evangelho não se mencionam títulos; fala-se de serviço, não é mesmo?

Pergunta: Alguém quer saber sua opinião sobre as pessoas que insultaram o prefeito de São Salvador na missa de comemoração de monsenhor Romero.

Ramazzini: Bem, eu diria que foi de péssimo gosto, foi falta de educação, porque, embora não se goste dele ou dela, deve-se respeitar a pessoa, principalmente porque tínhamos visitantes estrangeiros. Aquela atitude transmitiu uma impressão errada do povo salvadorenho, um povo respeitador, que estima as pessoas, é hospitaleiro e amigável. Esses tipos de gestos fazem apenas com que as pessoas que vêm de outros países digam: "Que espécie de educação ensinaram a esses que gritaram?"

Pergunta: Como pastor, que desafios o esperam na situação da mineração em São Marcos?

Ramazzini: A curto prazo, conseguir que no Congresso da República se elabore uma nova lei de mineração. A médio prazo, conseguir que o povo não perca a força e a energia na resistência pacífica que lhe estamos pedindo, isto é, que as pessoas realmente perseverem na sua luta de resistência pacífica. E, em um prazo mais longo, pois já não teremos essas minas na Guatemala, ter êxito para que não se exerça mais essa atividade na Guatemala, embora muitos naquele país não concordem, porque dizem que é uma fonte de dinheiro, mas eu retruco: de que nos serve ter dinheiro, se vamos ficar sem água? Não vamos cobrar entrada... Então, neste sentido, não é razoável.

Pergunta: O que o senhor acha que se pode fazer para que a formação que os futuros sacerdotes recebem nos seminários seja mais eficaz, mais realista, para que eles se formem e se aproximem mais das pessoas?

Ramazzini: Bem, primeiro, procurar formadores que realmente possam formá-los segundo essas dimensões. Acredito que o assunto da formação de formadores que o façam realmente por amor e por vocação seja fundamental. Além disso, acho muito importante – contudo, ainda hoje na Guatemala devo reconhecer que conseguimos apenas pequenos avanços nisso – integrar mulheres às equipes de formação, para que possam ter esse contato; elas, porém, não podem ser muito bonitas, porque isso também, às vezes...

Pergunta: Como teriam de ser os seminários para formar bons pastores? Concretamente, que sugere o senhor?

Ramazzini: Agradeço por essa pergunta porque faço parte da comissão de seminários, e isso me ajuda um pouco a rever meus critérios e minhas ideias. Creio ser muito importante termos um seminário em que se enfatize vigorosamente uma formação da convicção, não receber ordens, tampouco criar uma estrutura que proteja tanto os seminaristas que, quando saírem, qualquer ventinho os faça gripar--se e isso acabe em pneumonia. Isto é, um seminário muito aberto, mas com acompanhamento muito próximo e voltado à realidade, em que os seminaristas façam suas experiências pastorais de tal maneira que possam ter contato com o mundo real, e que o seminário seja um pouco o lugar a partir de onde, na oração, na reflexão, no acompanhamento dos formadores ou formadoras, vão se analisando e aprofundando as decisões e as opções, eu diria. Eu às vezes me digo – porque fui reitor do seminário por alguns anos – que se a mim coubesse de novo ser reitor de um seminário, não cometeria os erros que cometi naquela época. E mudaria coisas que agora, depois de tantos anos de experiência no ministério pastoral, levam-me a dizer: não, não agi adequadamente nesse caso; é preciso mudar o que fiz. É mesmo necessário agir de outra maneira.

Pergunta: O senhor acredita que a Igreja Católica esteja realmente comprometida com a opção pelos pobres, dado que muitas vezes os templos são majestosos, considerando-se as comunidades que os abrigam?

Ramazzini: Bem, eu diria que aqui deparamos com um problema que às vezes também é difícil quando se fala com as pessoas das comunidades. Existe a ideia – ao menos na zona rural de São Marcos – de que a igreja tem de ser, não quero dizer elegante, nem grande... Aliás, alguns templos devem ser grandes, sim, porque há influência do espírito de concorrência; se aquela aldeia tem uma igreja de tantos metros, vamos duplicar seu tamanho – às vezes, custa fazer as pessoas entenderem o valor da Igreja. É certa a presença de Jesus no sacrário, sem a menor dúvida, mas é também a presença da comunidade, e a comunidade tem mais importância do que a Igreja. Mas acredito que, se nós prestarmos atenção em tantos sacerdotes, porque sei que eles existem, em muitas irmãs e irmãos religiosos que realmente vivem a opção pelos pobres, acredito que as críticas de que a Igreja não faz isso se reduziriam muitíssimo, porque há muitos deles que seguem essa opção de modo silencioso. Sobre isso não há nenhuma informação, pois os meios de comunicação não falam a respeito, mas estou convencido de que há uma eficaz opção pelos pobres da parte de muitos sacerdotes; ela está realmente presente em muitos religiosos e religiosas.

Pergunta: Qual a sua opinião sobre as suposições de que monsenhor Romero está sendo politizado?

Ramazzini: Bem, não me atreveria a responder, porque não estou muito enfronhado aqui neste ambiente, mas até certo ponto é lógico que uma pessoa que tenha, teve e continua a ter enorme liderança, enorme significado e enorme importância possa ser utilizada, de uma forma ou de outra, segundo a conveniência de quem quer que seja. Aí se trata de que as lideranças sejam aproveitadas dessa maneira, mas falo em termos gerais, porque, repito, não posso afirmá-lo, pois não conheço bem a situação daqui.

Pergunta: Como ser um bom pastor diante de uma formação que não é compatível com as raízes culturais indígenas?

Ramazzini: Bem, é preciso, nesse caso, que se mude o sistema de formação, ou que a pessoa vá para outro seminário onde encontre essa formação, claro.

Pergunta: Por que o senhor se considera um bom pastor?

Ramazzini: Não, não, de forma alguma, não me considero um bom pastor. Considero-me uma pessoa que procura tratar de viver com coerência meu compromisso. Mais do que me considerar um bom pastor, considero-me alguém que procura tratar de ser um bom pastor. Apenas isso.

Impressão e acabamento
GRÁFICA E EDITORA SANTUÁRIO
Em sistema CTcP
Capa: Supremo 250g / Miolo: Offset 75g
Rua Pe. Claro Monteiro, 342
Fone 012 3104-2000 / Fax 012 3104-2036
12570-000 Aparecida – SP